세종
한국어

익힘책

1B

문화체육관광부
국립국어원

발간사

최근 전 세계인이 접하는 한류 콘텐츠의 규모가 늘어나면서 한류 문화가 확산되고 있고, 그 결과로 한국어를 배우고자 하는 외국인 학습자의 기세가 매우 놀랍습니다. 세계 곳곳이 코로나19로 침체기를 겪던 2021년에도 한국어능력시험 응시자는 30만 명을 훌쩍 넘었으며, 문화체육관광부의 세종학당은 2007년 13곳에서 2022년에는 84개국 244개소로 증가하였습니다. 이러한 한류의 지속적인 확산을 뒷받침하기 위해서는 한국어교육의 탄탄한 지원이 필요합니다.

한류 콘텐츠와 함께 성장하는 한국어교육의 토대를 다지기 위해, 문화체육관광부와 국립국어원은 2011년 처음 발간된 《세종한국어》를 새로 다듬기로 하였습니다. 2019년부터 기초 연구를 시작한 교재 개정 작업은 3년의 시간을 들여, 2022년 드디어 새로운 《세종한국어》를 펴내게 되었고, 이를 세종학당재단과 함께 알리게 되었습니다.

새롭게 개정된 《세종한국어》는 첫째, 세종학당 곳곳에서 한국어를 배우고자 하는 열의로 가득 찬 외국인 학습자 중심의 교재를 지향하였습니다. 둘째, 현지 세종학당의 학습 환경에 따라 유연하게 활용할 수 있는 맞춤형 교재로 정비되었습니다. 셋째, 한류 콘텐츠에 대한 외국인들의 관심을 내용에 반영함으로써, 한국어 공부에 대한 학습자의 부담을 낮췄습니다. 마지막으로 세종학당을 대표하는 표준 교재로서 구심점 역할을 담당하고, 이후의 한국어 학습을 위한 연계성도 잘 갖추었습니다.

세종학당은 한국어와 한국 문화로 한국과 세계를 연결하는 대한민국 대표의 국외 한국어교육 기관입니다. 국립국어원과 문화체육관광부는 앞으로도 세종학당재단과 협력하여 전 세계에서 한국어를 사랑하는 이들이 꿈을 이룰 수 있도록 지속적인 노력과 지원을 아끼지 않겠습니다.

끝으로 교재 개발을 위해 최선의 노력을 기울여 주신 연구·집필진과 출판사 관계자분들께 진심으로 감사의 말씀을 드립니다. 《세종한국어》의 새로운 출발과 함께 문화체육관광부와 국립국어원, 세종학당재단이 세계로 더 나아갈 수 있도록 여러분의 따뜻한 관심 부탁드립니다.

2022년 8월
국립국어원장 장소원

머리말

세종학당은 한국과 전 세계를 연결하는 한국어·한국 문화 보급 기관입니다. 이번에 개발한 교재는 상호 문화주의에 기반하여 한국어 학습에 대한 학습자의 흥미를 증진함으로써 한국어 의사소통 능력을 향상시키는 것을 목표로 하였습니다. 이를 위해 최근 한국의 상황을 적극적으로 반영하였고 최신 교수법을 구현할 수 있는 새로운 구성과 디자인을 적용하였습니다. 이를 통해 국외 한국어교육의 방향성을 새롭게 제시하고자 하였습니다. 개정《세종한국어》의 구체적 특징은 다음과 같습니다.

첫째, 세종학당의 표준 교육과정인 가형, 나형, 다형 전 과정에 탄력적으로 활용할 수 있도록 '기본 교재'와 '더하기 활동 교재'로 구분하였습니다. '기본 교재'에는 해당 등급에 필요한 핵심적인 내용을 담았으며, '더하기 활동 교재'에는 심화·확장이 필요한 언어 지식과 의사소통 활동을 담았습니다. 이를 통해 다양한 학습자 특성에 맞게 교재를 선택하여 사용할 수 있도록 하였습니다.

둘째, 효과적 교수·학습을 위해 단계별로 단원 구성을 차별화하였으며 학습 내용 또한 언어 발달 단계에 맞는 교수 학습 내용과 절차를 적용하였습니다. 특히 다양한 삽화와 시각적 자료를 적극적으로 제시하여 한국어 학습의 흥미를 극대화할 수 있도록 노력하였습니다.

셋째, 교재 전반에 생생한 한국 문화 내용을 배치하여 학습자들이 상호 문화적 관점에서 한국 문화를 이해하고, 궁극적으로는 자국의 문화와 한국 문화에 대한 바른 태도를 형성할 수 있도록 하였습니다.

넷째, 교재와 함께 '익힘책', '교사용 지도서', '어휘·표현과 문법', 수업용 PPT와 같은 보조 자료들을 개발하여 교사·학습자의 요구에 맞게 교재를 활용할 수 있도록 하였습니다.

이 교재를 기획하고 개발하는 모든 과정에 함께해 주신 국립국어원과 현지 학당과의 협조와 지원을 아끼지 않으신 세종학당재단, 그리고 학습자들이 재미있게 한국어를 배울 수 있도록 멋지게 디자인해 주신 공앤박출판사에 감사의 마음을 전하고 싶습니다. 끝으로 3년이라는 긴 시간 동안 오로지 한국어교육에 대한 열정으로 좋은 교재를 만들어 내기 위해 애써 주신 모든 집필진께 말로는 다할 수 없는 깊은 감사의 마음을 전합니다.

2022년 8월
저자 대표 이정희

차례

음식

1. 그림을 보고 써 보세요.

1)

비빔밥
_____

2)

_____

3)

_____

4)

_____

5)

_____

6)

_____

2. 그림을 보고 대화를 완성해 보세요.

무슨 음식을 좋아해요?

저는 잡채를 좋아해요.

1)

가 : 볶음밥을 좋아해요?

나 : 아니요. 저는 _____ 좋아해요.

2)

가 : 수지 씨, 점심에 뭘 먹고 싶어요?

나 : _____ 먹고 싶어요.

3)

가 : 재민 씨, 주말에 뭘 먹었어요?

나 : _____ 먹었어요.

4)

가 : 무엇을 드릴까요?

나 : _____ 하고 _____ 주세요.

무슨

1. 다음과 같이 대화를 완성해 보세요.

> 무슨 음식을 좋아해요?
>
> 저는 불고기하고 냉면을 좋아해요.

1) 가 : _____ 제일 좋아해요?

   나 : 저는 야구를 제일 좋아해요.

2) 가 : _____ 사고 싶어요?

   나 : 운동화를 사고 싶어요.

3) 가 : 생일에 _____ 받았어요?

   나 : 꽃하고 지갑을 받았어요.

4) 가 : _____ 한국어 수업이 있어요?

   나 : 월요일하고 수요일에 있어요.

2. 그림을 보고 대화를 완성해 보세요.

> 무슨 과일을 제일 좋아해요?
>
> 저는 수박을 제일 좋아해요.

1)  가 : 무슨 옷을 사고 싶어요?

   나 : _____ .

2)  가 : 무슨 계절을 제일 좋아해요?

   나 : _____ .

3)  가 : 어제 무슨 영화를 봤어요?

   나 : _____ .

4)  가 : 무슨 운동을 배워요?

   나 : _____ .

못

1. 빈칸을 채워 보세요.

동사	못	동사	못
가다	못 가요	공부하다	공부를 못 해요
먹다		수영하다	
치다		요리하다	
타다		운동하다	
만나다		이야기하다	

2. 그림을 보고 문장을 완성해 보세요.

저는 김치찌개를 못 먹어요.

1) 안나 씨는 스키를 _____ .

2) 어린이는 이 영화를 _____ .

3) 유진 씨는 요리를 _____ .

4) 박물관에서 사진을 _____ .

3. 그림과 같이 대화를 완성해 보세요.

주노 씨, 케이팝 콘서트에 가요?

아니요. 케이팝 콘서트에 못 가요. 표가 없어요.

1) 가 : 재민 씨, 이번 주말에 낚시해요?

　　나 : 아니요. _____ . 너무 바빠요.

2) 가 : 안나 씨, 아침을 먹었어요?

　　나 : 아니요. _____ . 시간이 없었어요.

3) 가 : 유진 씨, 공원에서 산책할까요?

　　나 : 아니요. _____ . 밖에 비가 와요.

4) 가 : 마리 씨, 그 옷을 샀어요?

　　나 : 아니요. _____ . 너무 비싸요.

좋아하는 음식

1. 음식에 대해 이야기해요. 잘 듣고 맞는 것을 찾아 번호를 써 보세요. 🔊 01

1) [   ]   2) [   ]   3) [   ]

① ② ③

2. 다음을 잘 듣고 질문에 답해 보세요. 🔊 02

1) 안나 씨와 유진 씨는 무슨 음식을 좋아해요?

① 안나 •

② 유진 •

•

•

2) 안나 씨는 무슨 음식을 만들어요?

[   ][   ][   ] 을/를 만들어요.

3. 다시 듣고 대화를 완성해 보세요. 🔊 03

안나 : 유진 씨, ... 좋아해요?

유진 : 저는 .... 좋아해요. .... ?

안나 : 저는 .... 좋아해요. 그래서 떡볶이를 집에서 자주 먹어요.

유진 : 안나 씨가 .... ?

안나 : 네. 제가 ....

4. 대화를 다시 듣고 따라 해 보세요. 🔊 04

5. 잘 듣고 바르게 발음한 것에 √ 표시를 해 보세요. 🔊 05

1) 떡   가 (   ) 나 (   )

2) 풀   가 (   ) 나 (   )

3) 찌개   가 (   ) 나 (   )

한국 음식 1

1. 다음을 잘 읽고 질문에 답하세요.

여러분은 무슨 음식을 좋아해요? 저는 한국 음식을 좋아해요. 김치찌개를 제일 좋아해요. 김치찌개는 맛있어요. 하지만 조금 매워요. 그래서 제 동생은 김치찌개를 못 먹어요. 어제 동생하고 한국 식당에 갔어요. 저는 김치찌개를 먹었어요. 동생은 불고기를 먹었어요. 정말 맛있었어요.

1) 이 사람은 어제 무슨 음식을 먹었어요?

①    ②    ③

2) 두 사람은 어제 어디에 갔어요?

에 갔어요.

3) 읽은 내용과 같으면 ○, 다르면 × 표시를 해 보세요.

① 동생은 김치찌개를 못 먹어요.　　（　　　）

② 이 사람은 불고기를 제일 좋아해요.　　（　　　）

한국 음식 2

1. 그림을 보고 다음 표현을 사용하여 글을 완성해 보세요.

저하고 마리 씨는 _____ . (한국 음식, 좋아하다) 그래서 우리는

_____ . (한국 음식, 자주 먹다) 마리 씨는 잡채를 잘 만들어요.

하지만 저는 _____ . (잡채, 못 만들다) 저는

_____ . (된장찌개, 잘 만들다) 그래서 우리는 같이

_____ (잡채, 된장찌개) 만들어요. 한국 음식은 정말 맛있어요.

2. 알맞은 표현을 골라 글을 완성해 보세요.

한국 음식	자주 먹다		한국 음식	좋아하다		김밥	잘 만들다

정말	맛있다		김밥	떡볶이	만들다		떡볶이	잘 만들다

저하고 주노 씨는 _____ . 그래서 우리는 _____ .

주노 씨는 _____ . 하지만 저는 떡볶이를 못 만들어요. 저는

_____ . 그래서 우리는 같이

_____ . 한국 음식은 _____ .

1. 이 사람들이 무엇을 해요? 그림을 보고 써 보세요.

1)

춤을 취요.

2)

3)

4)

5)

6)

---

2. 알맞은 것을 골라 대화를 완성해 보세요.

| 드라마 | 수영 | 낚시 | 게임 | 영화 |

주말에 뭐 했어요?

영화관에서 영화를 봤어요.

1) 가 : 수지 씨, 어제 뭐 했어요?

　　나 : 수영장에서 _____ 했어요.

2) 가 : 재민 씨, 주말에 보통 뭐 해요?

　　나 : 저는 바다에 자주 가요. _____ 좋아해요.

3) 가 : 안나 씨는 텔레비전을 많이 봐요?

　　나 : 네. 저는 _____ 자주 봐요.

4) 가 : 주노 씨, 오늘 축구를 했어요?

　　나 : 아니요. 오늘은 집에서 친구하고 _____ 했어요.

–(으)러 가다

1. 다음과 같이 대화를 완성해 보세요.

동사	-으러 가다	동사	-러 가다
먹다	먹으러 가요	보다	보러 가요
씻다		사다	
찍다		만나다	
찾다		운동하다	
★듣다	들으러 가요	★놀다	놀러 가요

'★(별표)'는 불규칙활용을 하는 단어입니다.

2. 알맞은 것을 골라 문장을 완성해 보세요.

사다   타다   하다   먹다   찾다

자전거를 타러 공원에 가요.

1) 점심을 _____ 식당에 가요.
2) 우유를 _____ 편의점에 가요.
3) 등산을 _____ 산에 가요.
4) 돈을 _____ 은행에 가요.

3. 알맞은 것을 연결하고 써 보세요.

옷을 사다 •

1) 노래를 부르다 •
2) 커피를 마시다 •
3) 친구하고 놀다 •
4) 선생님을 만나다 •

• 사무실에 가다
• 카페에 가다
• 놀이공원에 가다
• 노래방에 가다
• 백화점에 가다

옷을 사러 백화점에 가요.

1) _____ .
2) _____ .
3) _____ .
4) _____ .

도

1. 그림을 보고 문장을 완성해 보세요.

> 교실에 마리 씨가 있어요.
> 유진 씨도 있어요.

1) 교실에 책상이 있어요. .... 있어요.

2) 주노 씨가 핸드폰을 봐요. .... 핸드폰을 봐요.

3) 카페에 재민 씨가 있어요. .... 있어요.

4) 안나 씨가 커피를 마셔요. .... 먹어요.

---

2. 다음과 같이 대화를 완성해 보세요.

> 뭘 샀어요?

> 사과를 샀어요. 바나나도 샀어요.
>
> (사과, 바나나)

1) 가 : 점심에 뭐 먹었어요?

   나 : .... (라면, 김밥)

2) 가 : 오늘 누구를 만나요?

   나 : .... (안나 씨, 주노 씨)

3) 가 : 가방에 뭐가 있어요?

   나 : .... (지갑, 한국어 책)

4) 가 : 언제 태권도를 해요?

   나 : .... (수요일, 금요일)

친구의 취미

1. 취미에 대해 이야기해요. 잘 듣고 맞는 것을 찾아 번호를 써 보세요.

01

1) [ ]　　　　2) [ ]　　　　3) [ ]

①　　　　　　　　　②　　　　　　　　　③

---

2. 다음을 잘 듣고 질문에 답해 보세요.

02

1) 안나 씨와 재민 씨의 취미가 뭐예요?　　　2) 재민 씨는 주말에 보통 어디에 가요?

① 안나 •　　• 　　　　[ ][ ] 에 자주 가요.

② 재민 •　　•

---

3. 다시 듣고 대화를 완성해 보세요.

03

안나 : 재민 씨는 ＿＿＿＿＿＿＿＿＿＿＿＿＿＿＿＿ 뭐예요?

재민 : 저는 ＿＿＿＿＿＿＿＿＿＿＿＿＿＿＿＿ 좋아해요.

　　　그래서 주말에 ＿＿＿＿＿＿＿＿ 하러 ＿＿＿＿＿＿＿＿ 자주 가요.

　　　안나 씨는 뭘 좋아해요?

안나 : 저는 ＿＿＿＿＿＿＿＿＿＿＿＿＿＿＿＿ 좋아해요.

　　　특히 ＿＿＿＿＿＿＿＿＿＿＿＿＿＿＿＿ 좋아해요.

---

4. 대화를 다시 듣고 따라 해 보세요. 04

5. 잘 듣고 바르게 발음한 것에 √ 표시를 해 보세요. 05

　　1) 특히　　　가 (　　) 나 (　　)

　　2) 따뜻해요　가 (　　) 나 (　　)

　　3) 대답해요　가 (　　) 나 (　　)

나의 취미 1

1. 다음을 잘 읽고 질문에 답하세요.

저는 음악을 좋아해요. 특히 한국 노래를 좋아해요. 그래서 한국 노래를 자주 들어요. 지난 주말에는 친구하고 같이 케이팝(K-POP) 콘서트를 보러 갔어요. 노래가 정말 좋았어요. 가수들이 춤도 잘 췄어요. 아주 멋있었어요.

1) 이 사람은 지난 주말에 어디에 갔어요?

①    ②    ③

2) 이 사람은 무슨 노래를 좋아해요?

 을/를 좋아해요.

3) 읽은 내용과 같으면 ○, 다르면 × 표시를 해 보세요.

① 이 사람은 케이팝 콘서트에 혼자 갔어요. (   )
② 케이팝 콘서트에서 가수들이 춤을 잘 췄어요. (   )

나의 취미 2

1. 그림을 보고 다음 표현을 사용하여 글을 완성해 보세요.

저는 운동을 좋아해요. 아침에는 보통 _____ (수영, 하다) **수영장에 가요.** 그리고

오후에는 _____ . (자전거, 타다, 공원, 가다)

친구하고 같이 자전거를 타요. 운동은 정말 _____ . (재미있다)

---

2. 그림을 보고 알맞은 표현을 골라 글을 완성해 보세요.

| 친구들 | 같이 | 정말 | 재미있다 | 운동 | 하다 |
| 축구 | 하다 | 헬스클럽 | 가다 | 운동장 | 가다 |

저는 운동을 좋아해요. 아침에는 보통 _____ .

그리고 저녁에는 _____ .

축구를 해요. 운동은 _____ .

1. 무엇을 입었어요? 무엇을 신었어요? 그림을 보고 써 보세요.

1)

티셔츠
....

2)

....

3)

....

4)

....

5)

....

6)

....

2. 그림을 보고 문장을 완성해 보세요.

오늘 저는 놀이공원에 가요.
청바지를 입어요.

1)

친구하고 테니스를 쳐요.

운동복을 ....

2)

요즘 날씨가 추워요. 모자를 ....

3)

공원에서 산책해요. 운동화를 ....

4)

정장을 입어요. 넥타이를 ....

–아서 / 어서

1. 다음과 같이 대화를 완성해 보세요.

동사/형용사	-아서	동사/형용사	-어서	동사/형용사	해서
가다	가서	먹다	먹어서	공부하다	공부해서
오다		신다		운동하다	
작다		★쉽다	쉬워서	따뜻하다	
좋다		★예쁘다	예뻐서	시원하다	

2. 알맞은 것을 연결하고 써 보세요.

> 날씨가 좋다 •

1) 쇼핑을 좋아하다 •
2) 생일 선물을 받다 •
3) 커피를 많이 마시다 •
4) 한국 드라마를 보고 싶다 •

• 기분이 좋다
• 잠을 못 자다
• 산책하러 가다
• 한국어를 배우다
• 백화점에 자주 가다

> 날씨가 좋아서 산책하러 가요.

1) _____ .
2) _____ .
3) _____ .
4) _____ .

3. 다음과 같이 대화를 완성해 보세요.

> 어디에 가요?

> 약속이 있어서 카페에 가요.
> (약속이 있다)

1) 가 : 요즘 운동해요?

   나 : 아니요. 요즘에는 _____ 못 해요. (바쁘다)

2) 가 : 오늘 서울은 날씨가 어때요?

   나 : _____ 좀 추워요. (바람이 많이 불다)

3) 가 : 영화를 자주 봐요?

   나 : 네. _____ 자주 봐요. (영화를 좋아하다)

4) 가 : 왜 옷을 안 샀어요?

   나 : _____ 안 샀어요. (좀 비싸다)

–(으)ㄹ 거예요

1. 빈칸을 채워 보세요.

동사	-을 거예요	동사	-ㄹ 거예요
먹다	먹을 거예요	가다	갈 거예요
신다		보다	
읽다		공부하다	
*듣다	들을 거예요	*만들다	만들 거예요

2. 그림을 보고 문장을 완성해 보세요.

	나의 일주일			5월
월요일	**화요일**	**수요일**	**목요일**	**금요일**

> 월요일에는 영화를 볼 거예요.

1) 화요일에는 도서관에서 ....

2) 수요일에는 ....

3) 목요일에는 ....

4) 금요일에는 ....

3. 그림을 보고 대화를 완성해 보세요.

> 안나 씨, 뭘 살 거예요?

> 티셔츠를 살 거예요.

1)   가 : 뭘 먹을 거예요?

   나 : 저는 ....

2) 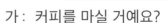 가 : 커피를 마실 거예요?

   나 : 아니요. 저는 ....

3)  가 : 공원에서 뭐 할 거예요?

   나 : ....

4)  가 : 방학에 어디에 갈 거예요?

   나 : ....

주노 씨의 쇼핑 계획

1. 옷과 신발에 대해 이야기해요. 잘 듣고 맞는 것을 찾아 번호를 써 보세요. 🔊 01

1) [　　　]　　2) [　　　]　　3) [　　　]

① 　　　　　② 　　　　　③

2. 다음을 잘 듣고 질문에 답해 보세요. 🔊 02

1) 두 사람은 주말에 어디에 갈 거예요?

[　] [　] [　] 에 갈 거예요.

2) 주노 씨는 무엇을 살 거예요?

① 　　　　　② 　　　　　③

3. 다시 듣고 대화를 완성해 보세요. 🔊 03

주노 : 마리 씨, 주말에 _____ ?

마리 : 이번 주말에는 _____ . 주노 씨, 왜요?

주노 : 그럼 같이 _____ ?

　　　　친구 생일 선물을 _____ .

마리 : 좋아요. 그런데 _____ ?

주노 : 친구가 _____ .

4. 대화를 다시 듣고 따라 해 보세요. 🔊 04

5. 잘 듣고 바르게 발음한 것에 √ 표시를 해 보세요. 🔊 05

1) 백화점　　가 (　　)　나 (　　)

2) 축하해요　가 (　　)　나 (　　)

3) 입학해요　가 (　　)　나 (　　)

쇼핑몰

1. 다음을 잘 읽고 질문에 답하세요.

우리 집 근처에 쇼핑몰이 있어요. 주말에 저는 누나하고 쇼핑몰에 갈 거예요. 저는 다음 주에 회사에서 일을 시작해요. 그런데 정장이 없어서 정장을 살 거예요. 누나는 요즘 등산을 자주 해요. 그래서 누나는 등산 모자를 살 거예요.

1) 이 사람은 언제 쇼핑몰에 갈 거예요?

[　][　] 에 쇼핑몰에 가요.

2) 이 사람은 무엇을 살 거예요?

① 　　　　② 　　　　③

3) 읽은 내용과 같으면 ○, 다르면 × 표시를 해 보세요.

① 이 사람은 혼자 쇼핑몰에 갈 거예요.　　(　　)

② 누나는 구두를 살 거예요.　　　　　　(　　)

동생의 생일

1. 그림을 보고 다음 표현을 사용하여 글을 완성해 보세요.

이번 주 토요일은 제 동생 생일이에요. 그래서 저는 백화점에

_____. (생일 선물, 사다, 가다)

동생이 바지를 자주 입어서 _____. (청바지, 사다)

그리고 토요일 저녁에는 _____. (생일 파티, 하다)

동생이 _____ (한국 음식, 좋아하다) 불고기하고 김밥을 만들 거예요.

---

2. 알맞은 표현을 골라 글을 완성해 보세요.

| 노래 | 하다 | | 노래 | 연습하다 |

| 커피 잔 | 사다 | | 결혼 선물 | 사다 | 가다 |

이번 주 일요일은 제 친구 결혼식이에요. 그래서 저는 백화점에 _____.

친구가 커피하고 차를 자주 마셔서 _____.

결혼식에서 저는 친구들하고 _____.

그래서 요즘 친구들하고 _____.

기본 형용사

1. 다음과 같이 반대말을 써 보세요.

1) [커요] ↔ [작아요] 2) [넓어요] ↔ [　　　　]

3) [높아요] ↔ [　　　　] 4) [길어요] ↔ [　　　　]

5) [비싸요] ↔ [　　　　] 6) [편해요] ↔ [　　　　]

2. 알맞은 것을 골라 대화를 완성해 보세요.

[넓다]　[높다]　[불편하다]　(비싸다)　[길다]

> 시계를 샀어요?
>
> 아니요. 너무 비싸서 못 샀어요.

1) 가 : 등산이 어땠어요?

　나 : 산이 아주 .... 힘들었어요.

2) 가 : 안나 씨 집은 어때요?

　나 : 방이 .... 좋아요.

3) 가 : 어디에 가요?

　나 : 미용실에 가요. 머리가 .... 좀 자르고 싶어요.

4) 가 : 뭘 살 거예요?

　나 : 구두가 조금 .... 운동화를 사고 싶어요.

-(으)ㄴ

1. 빈칸을 채워 보세요.

형용사	-은	형용사	-ㄴ
낮다	낮은	싸다	싼
넓다		크다	
작다		비싸다	
*맵다	매운	편하다	
*맛있다	맛있는	*길다	긴

2. 다음과 같은 문장을 완성해 보세요.

> 수지 씨가 가방을 샀어요. 그 가방은 아주 커요. → 수지 씨가 아주 큰 가방을 샀어요 .

1) 마리 씨가 티셔츠를 입었어요. 그 티셔츠는 예뻐요. → ....

2) 안나 씨가 커피를 마셔요. 그 커피는 따뜻해요. → ....

3) 재민 씨가 의자에 앉았어요. 그 의자는 불편해요. → ....

4) 주노 씨가 사과를 먹어요. 그 사과는 맛있어요. → ....

3. 알맞은 것을 연결하고 써 보세요.

1) 재민 씨 •　　　• 높다　　　•　　　• 도시예요

2) 서울 •　　　• 재미있다　　　•　　　• 한국 음식이에요

3) 한라산 •　　　• 한국에서 가장 크다 •　　　• 영화를 보고 싶어 해요

4) 불고기 •　　　• 시원하다　　　•　　　• 날씨를 좋아해요

5) 안나 씨 •　　　• 맛있다　　　•　　　• 산이에요

1) 재민 씨는 시원한 날씨를 좋아해요 ....

2) ....

3) ....

4) ....

5) ....

–습니다 / ㅂ니다, –습니까? / ㅂ니까?

1. 빈칸을 채워 보세요.

동사/형용사	-습니다	동사/형용사	-ㅂ니다
듣다	듣습니다	가다	갑니다
먹다		만나다	
읽다		공부하다	
낮다		크다	
짧다		*길다	깁니다

2. 그림을 보고 대화를 완성해 보세요.

> 수지 씨는 어디에 있습니까?

> 지금 카페에 있습니다.

1)

가 : 유진 씨는 무엇을 합니까?

나 : _____.

2)

가 : 운동을 좋아합니까?

나 : 네. _____.

3)
₩20,000

가 : 이 모자는 얼마입니까?

나 : _____.

4)

가 : 점심 먹었습니까?

나 : 네. 오늘은 한국 식당에서 _____.

3. 알맞은 것을 골라 글을 완성해 보세요.

만나다	좋아하다	가다	먹다	맵다

안나 씨는 주말에 한국 친구를 1) 만납니다 . 친구하고 같이 한국 식당에 2) _____.

한국 친구는 비빔밥을 먹습니다. 안나 씨는 떡볶이를 3) _____. 떡볶이는 조금

4) _____. 하지만 아주 맛있습니다. 그래서 안나 씨는 떡볶이를 5) _____.

치마 쇼핑

1. 무엇을 사요? 잘 듣고 맞는 것을 찾아 √ 표시를 해 보세요.

01

1)

2)

3)

---

2. 다음을 잘 듣고 질문에 답해 보세요.

02

1) 이 사람은 지금 어디에 있습니까?

① ② ③

2) 이 사람은 무엇을 사고 싶어 합니까?

[　　][　　] 을/를 사고 싶어 해요.

---

3. 다시 듣고 대화를 완성해 보세요.

03

점원 : 손님, ...?

안나 : .... 좀 보여 주세요.

점원 : .... 어떠세요? ....

안나 : 음. 조금 짧아요. 더 .... ?

점원 : 그럼 .... ?

안나 : 좋아요. ....

---

4. 대화를 다시 듣고 따라 해 보세요.

04

5. 잘 듣고 바르게 발음한 것에 √ 표시를 해 보세요.

05

1) 삽니다   가 (　　) 나 (　　)

2) 있습니다   가 (　　) 나 (　　)

3) 앞문   가 (　　) 나 (　　)

과일 가게

1. 다음을 잘 읽고 질문에 답하세요.

저는 과일을 좋아합니다. 사과하고 바나나를 좋아합니다. 매일 아침에 과일을 먹습니다. 우리 집 근처에 아주 큰 과일 가게가 있습니다. 그 과일 가게에서 사과하고 바나나를 삽니다. 과일 가격이 싸서 그 가게에 자주 갑니다.

1) 이 사람은 아침에 무엇을 먹습니까?

　　□ □ 을/를 먹습니다.

2) 이 사람은 무슨 과일을 좋아합니까? <u>모두</u> 고르세요.

① 　　② 　　③

3) 읽은 내용과 같으면 ○, 다르면 × 표시를 해 보세요.

① 이 과일 가게가 아주 큽니다.　　（　　）

② 이 과일 가게는 과일이 비쌉니다.　　（　　）

핸드폰 가게

1. 그림을 보고 다음 표현을 사용하여 글을 완성해 보세요.

저는 오늘 핸드폰을 사러 핸드폰 가게에 갔습니다.

핸드폰 가게에는 _____ . (핸드폰, 많이 있다)

저는 _____ . (가장 예쁘다, 핸드폰, 사다)

핸드폰은 _____ . (좀 비싸다)

하지만 _____ . (핸드폰, 사다, 기분, 좋다)

---

2. 알맞은 표현을 골라 글을 완성해 보세요.

| 기분 | 좋다 | 아주 예쁘다 |

| 신발 | 많이 있다 | 편하다 | 운동화 | 사다 |

저는 오늘 운동화를 사러 신발 가게에 갔습니다. 신발 가게에는 _____ .

저는 가장 _____ .

운동화는 _____ .

운동화를 사서 _____ .

1. 어떻게 가요? 그림을 보고 써 보세요.

1)

올라가요
....

2)

....

3)

....

4)

....

5)

....

6)

....

2. 그림을 보고 대화를 완성해 보세요.

카페가 어디예요?

2층이에요. 올라가세요.

1)

가 : 화장품 가게는 어디예요?

나 : 1층이에요. ....

2)

가 : 세종식당이 어디에 있어요?

나 : 저쪽에 있어요. ....

3)

가 : 이 근처에 약국이 있어요?

나 : 네. 여기에서 길을 ....

4)

가 : 세종학당이 어디예요?

나 : 이 건물 안에 있어요. ....

의문사

1. 다음과 같이 알맞은 것을 고르세요.

(누구 / 어디)에 가요?

배가 아파서 병원에 가요.

1) 가 : 이게 (뭐 / 어디)예요?

　　나 : 불고기예요. 한국 음식이에요.

2) 가 : (무슨 / 얼마나) 영화를 자주 봐요?

　　나 : 저는 한국 영화를 자주 봐요.

3) 가 : 이 사람이 (언제 / 누구)예요?

　　나 : 제 어머니예요.

4) 가 : 한국어를 (왜 / 얼마나) 배웠어요?

　　나 : 3개월 배웠어요.

---

2. 알맞은 것을 골라 대화를 완성해 보세요.

| 몇 | 누구 | 어디 | 무엇 | 무슨 | 언제 | 어떻게 |

무슨 음식을 좋아해요?

한국 음식을 좋아해요.

1) 가 : 약국이 ＿＿＿＿＿＿＿＿＿＿ 에 있어요?

　　나 : 병원 옆에 있어요.

2) 가 : 백화점에서 ＿＿＿＿＿＿＿＿＿＿ 을 샀어요?

　　나 : 가방을 샀어요.

3) 가 : ＿＿＿＿＿＿＿＿＿＿ 하고 여행을 가요?

　　나 : 친구하고 가요.

4) 가 : 집에 ＿＿＿＿＿＿＿＿＿＿ 가요?

　　나 : 버스를 타요.

5) 가 : ＿＿＿＿＿＿＿＿＿＿ 한국에 가요?

　　나 : 다음 주에 가요.

6) 가 : 사과 ＿＿＿＿＿＿＿＿＿＿ 개 드릴까요?

　　나 : 다섯 개 주세요.

(으)로

1. 빈칸을 채워 보세요.

명사	으로	명사	로
안	안으로	뒤	뒤로
앞		위	
1층		지하	
이쪽		카페	
오른쪽		★사무실	사무실로

2. 알맞은 것을 골라 문장을 완성해 보세요.

밖   왼쪽   지하   사무실   오른쪽

오른쪽으로 가세요.

1) ⬅ .... 가세요.

2) .... 나가세요.

3) .... 내려오세요.

4) .... 오세요.

3. 그림을 보고 대화를 완성해 보세요.

운동장이 어디에 있어요?

여기에서 오른쪽으로 가세요.

1) 가 : 백화점은 어디에 있어요?
나 : 이 건물 뒤에 있어요.
....

2) 가 : 화장실이 어디예요?
나 : 밖에 있어요.
....

3) 가 : 남자 옷은 어디에서 사요?
나 : ....

4) 가 : 선생님 사무실이 어디예요?
나 : ....

세종박물관

1. 어떻게 가요? 잘 듣고 맞는 것을 찾아 번호를 써 보세요.

01

1) [　　　]　　　2) [　　　]　　　3) [　　　]

① 　　　② 　　　③

2. 다음을 잘 듣고 질문에 답해 보세요.

02

1) 두 사람은 내일 어디에 가요?

[　][　][　][　][　] 에 가요.

2) 박물관에 어떻게 가요?

① 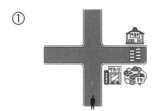　　② 　　③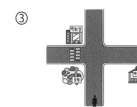

3. 다시 듣고 대화를 완성해 보세요.

03

주노 : 안나 씨, 우리 내일 _____ ?

안나 : 좋아요. 그런데 _____ ?

주노 : _____ ?

안나 : 네.

주노 : 누리백화점에서 _____ .

　　　그러면 공원이 있어요. 그 공원 _____ .

---

4. 대화를 다시 듣고 따라 해 보세요.
04

5. 잘 듣고 바르게 발음한 것에 √ 표시를 해 보세요.
05

1) 박물관　　가 (　　) 나 (　　)

2) 한국말　　가 (　　) 나 (　　)

3) 일곱 명　　가 (　　) 나 (　　)

새해 파티

1. 다음을 잘 읽고 질문에 답하세요.

안나 씨

안녕하세요. 유진이에요.

1월 1일에 우리 집에서 친구들하고 한국 음식을 만들 거예요. 안나 씨도 우리 집에 오세요. 우리 집은 세종학당 근처에 있어요. 세종학당 앞에서 길을 건너세요. 거기에 약국이 있어요. 약국에서 왼쪽으로 조금 가세요. 그러면 꽃집 옆에 우리 집이 있어요. 세종학당에서 우리 집까지 15분쯤 걸려요. 우리 집에 꼭 오세요.

　　　　　　　　　　　　　　　　　　　　　　　　　　　　　　　　　　　－ 유진.

1) 유진 씨는 1월 1일에 무엇을 할 거예요?

 을/를 만들 거예요.

2) 유진 씨 집에 어떻게 가요?

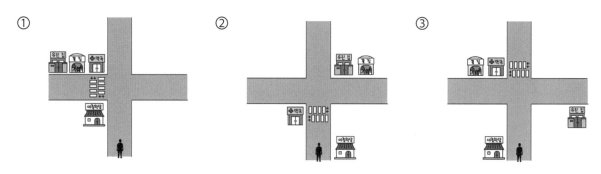

①　　　　　　　　　　②　　　　　　　　　　③

3) 읽은 내용과 같으면 ○, 다르면 × 표시를 해 보세요.

①　1월 1일에 친구들이 유진 씨 집에 올 거예요.　　（　　　）

②　유진 씨 집은 세종학당에서 이십 분쯤 걸려요.　　（　　　）

결혼식 초대

1. 그림을 보고 다음 표현을 사용하여 글을 완성해 보세요.

주노 씨

주노 씨, 안녕하세요? 저는 5월 1일에 _____. (결혼, 하다)

세종 호텔에서 _____. (결혼식, 하다) 세종 호텔은 세종학당

_____. (근처, 있다) 세종학당에서 _____ (똑바로 가다)

그리고 _____. (오른쪽, 가다) 거기에

_____. (경찰서, 있다) 경찰서 옆에

_____. (세종 호텔, 있다) 제 결혼식에 꼭 오세요.

– 진우.

2. 그림을 보고 알맞은 표현을 골라 글을 완성해 보세요.

결혼 하다 공원 있다 근처 있다 왼쪽 가다

결혼식 하다 한국호텔 있다 똑바로 가다

안나 씨

안나 씨, 안녕하세요? 저는 2월 14일에 _____.

한국 호텔에서 _____. 한국 호텔은 세종 쇼핑몰

_____. 세종 쇼핑몰에서 _____.

그리고 _____. 거기에 _____.

공원 옆에 _____.

제 결혼식에 꼭 오세요.

– 웨이.

교통수단

1. 무엇을 타요? 그림을 보고 써 보세요.

1)

자전거
....

2)

....

3)

....

4)

....

5)

....

6)

....

2. 그림을 보고 대화를 완성해 보세요.

세종학당에 어떻게 가요?

버스를 타고 가요.

1)

가 : 학교에 어떻게 가요?

나 : ....

2)

가 : 회사에 어떻게 가요?

나 : ....

3)

가 : 백화점에 뭘 타고 가요?

나 : ....

4)

가 : 공원에 뭘 타고 가요?

나 : ....

○에서 ○까지

1. 다음과 같이 문장을 완성해 보세요.

| 집 | → | 세종학당 |

집에서 세종학당까지 자전거를 타고 가요.

1) | 집 | → | 공원 |

_____ 걸어서 가요.

2) | 서울 | → | 제주도 |

_____ 비행기를 타고 가요.

3) | 학교 | → | 카페 |

_____ 10분쯤 걸려요.

4) | 베트남 | → | 한국 |

_____ 4시간쯤 걸려요.

2. 그림을 보고 대화를 완성해 보세요.

출발지	도착지	시간	교통수단
서울	제주도	1시간	비행기
서울	경주	2시간	기차
부산	제주도	9시간	배
부산	경주	1시간 30분	버스

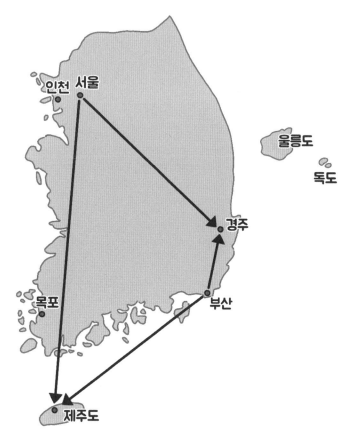

1) 가 : 서울에서 제주도까지 어떻게 가요?

　　나 : _____ .

2) 가 : 서울에서 경주까지 어떻게 가요?

　　나 : _____ .

3) 가 : 부산에서 제주도까지 얼마나 걸려요?

　　나 : _____ .

4) 가 : 부산에서 경주까지 얼마나 걸려요?

　　나 : _____ .

–아요 / 어요

---

1. 다음과 같이 대화를 완성해 보세요.

언제 점심을 먹을까요?

1시에 먹어요.
(1시)

1) 가 : 어디에서 만날까요?

　　나 : .... (세종학당 앞 카페)

2) 가 : 주말에 어디에 갈까요?

　　나 : .... (영화관)

3) 가 : 뭘 타고 갈까요?

　　나 : .... (버스)

4) 가 : 오늘 뭘 할까요?

　　나 : .... (산책)

---

2. 그림을 보고 대화를 완성해 보세요.

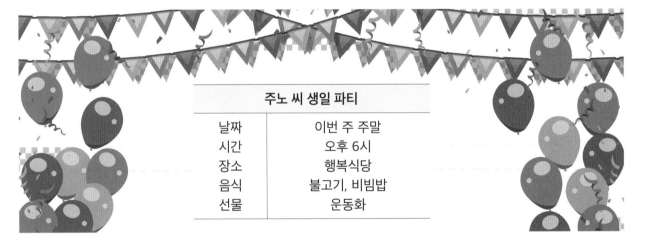

주노 씨 생일 파티	
날짜	이번 주 주말
시간	오후 6시
장소	행복식당
음식	불고기, 비빔밥
선물	운동화

언제 생일 파티를 할까요?

이번 주 주말에 해요.

1) 가 : 몇 시에 할까요?

　　나 : ....

2) 가 : 어디에서 생일 파티를 할까요?

　　나 : ....

3) 가 : 뭘 먹을까요?

　　나 : ....

4) 가 : 무슨 선물을 살까요?

　　나 : ....

주말 약속

1. 무엇을 타요? 잘 듣고 맞는 것을 찾아 번호를 써 보세요. 🔊 01

1) [　　] 2) [　　] 3) [　　]

① ② ③

2. 다음을 잘 듣고 질문에 답해 보세요. 🔊 02

1) 유진 씨는 주말에 누구를 만나요?

[　][　][　] 을/를 만나요.

2) 놀이공원에 무엇을 타고 가요?

① ② ③

3. 다시 듣고 대화를 완성해 보세요. 🔊 03

유진 : 수지 씨, 주말에 ....?

수지 : 네. .... 유진 씨, 왜요?

유진 : 그럼 주말에 ....?

수지 : 네. 좋아요. .... 그런데 ....?

유진 : 세종학당 ....

4. 대화를 다시 듣고 따라 해 보세요. 🔊 04

5. 잘 듣고 바르게 발음한 것에 √ 표시를 해 보세요. 🔊 05

1) 세종학당　가 (　　) 나 (　　)
2) 학교　가 (　　) 나 (　　)
3) 특별해요　가 (　　) 나 (　　)

수영장 가는 길

1. 다음을 잘 읽고 질문에 답하세요.

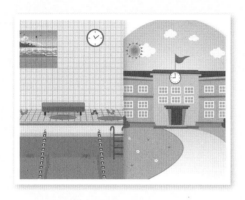

　　저는 요즘 수영을 배워요. 그래서 아침에 수영장에 가요. 수영장은 집에서 가까워요. 집에서 수영장까지 걸어서 가요. 그리고 학교에 가요. 수영장에서 학교까지 지하철을 타고 가요. 시청역에서 한 번 갈아타요. 수영장에서 학교까지 30분쯤 걸려요.

1) 이 사람은 요즘 무엇을 배워요?

　□□ 을/를 배워요.

2) 이 사람은 수영장에서 학교까지 어떻게 가요?

① 　　② 　　③

3) 읽은 내용과 같으면 ○, 다르면 × 표시를 해 보세요.

　① 이 사람은 아침에 수영장에 가요.　　（　　　）
　② 수영장에서 학교까지 이십 분쯤 걸려요.　（　　　）

도서관 가는 길

1. 그림을 보고 다음 표현을 사용하여 글을 완성해 보세요.

저는 토요일에 _____ . (도서관, 가다)

도서관에서 _____ . (책, 읽다)

그리고 _____ . (숙제, 하다)

도서관은 _____ . (집, 조금 멀다)

집 근처 지하철역에서 _____ . (지하철, 타다)

시청역에서 _____ . (내리다)

그리고 도서관까지 걸어서 가요. _____

_____ . (집, 도서관, 30분쯤 걸리다)

2. 알맞은 표현을 골라 글을 완성해 보세요.

| 농구하다 | 버스 | 타다 | 한강공원 | 가다 | 집 | 조금 멀다 |

| 버스 정류장 | 내리다 | 집 | 한강공원 | 30분쯤 걸리다 |

저는 토요일에 _____ .

한강공원에서 산책해요. 그리고 친구들하고 같이 _____ .

한강공원은 _____ .

집 근처 버스 정류장에서 _____ .

한강공원 앞 _____ .

그리고 한강공원까지 걸어서 가요. _____ .

여행 계획

1. 여행을 가요. 무엇을 준비해요? 그림을 보고 써 보세요.

1)

운동화

2)

3)

4)

5)

6)

---

2. 여행에서 무엇을 해요? 그림을 보고 대화를 완성해 보세요.

제주도에서 뭐 할 거예요?

등산을 할 거예요.

1)

가 : 바다에서 뭐 할 거예요?

나 : .

2)

가 : 호수에서 뭐 할 거예요?

나 : .

3)

가 : 오후에는 뭐 할 거예요?

나 : .

4)

가 : 저녁에는 호텔에서 쉴 거예요?

나 : 아니요. .

–(으)려고 하다

1. 빈칸을 채워 보세요.

동사	-으려고 하다	동사	-려고 하다
먹다	먹으려고 해요	가다	가려고 해요
신다		배우다	
입다		여행하다	
★듣다	들으려고 해요	★놀다	놀려고 해요

2. 알맞은 것을 골라 문장을 완성해 보세요.

타다	입다	듣다	먹다	여행하다

> 한국 식당에 가요.
> 한국 식당에서 비빔밥을
> 먹으려고 해요.

1) 오늘 여행을 가요. 그래서 청바지를 _____.

2) 토요일에 공원에 가요. 공원에서 자전거를 _____.

3) 다음 주부터 방학이에요. 친구하고 _____.

4) 저는 케이팝(K-POP)을 좋아해요. 오늘도 케이팝(K-POP)을 _____.

_____.

3. 그림을 보고 대화를 완성해 보세요.

> 제주도에서 뭐 할 거예요?

> 수영하려고 해요.

1)

가 : 이번 주말에 뭐 할 거예요?

나 : _____.

2)

가 : 오후에 뭐 해요?

나 : _____.

3)

가 : 토요일에 친구를 만나요?

나 : 네. 친구하고 _____.

4)

가 : 이번 휴가에도 여행 갈 거예요?

나 : 아니요. 이번 방학에는 _____

_____.

1. 다음과 같이 문장을 완성해 보세요.

> 꽃이 싸다, 꽃이 예쁘다
> → 꽃이 싸고 예뻐요.

1) 비가 오다, 덥다

    → ....

2) 수영을 하다, 산책도 하다

    → ....

3) 한국어를 배우다, 아르바이트도 하다

    → ....

4) 텔레비전을 보다, 음악도 듣다

    → ....

5) 그 식당이 가깝다, 음식도 맛있다

    → ....

6) 토요일에는 아르바이트를 하다, 일요일에는 집에서 쉬다

    → ....

---

2. 그림을 보고 대화를 완성해 보세요.

> 부산에서 뭐 할 거예요?

> 수영을 하고 낚시도 할 거예요.

1) 가 : 오후에 뭐 할 거예요?

    나 : ....

2)  가 : 백화점에서 뭐 살 거예요?

    나 : ....

3) 가 : 친구하고 어디에 가려고 해요?

    나 : ....

4)  가 : 방학에 뭐 하려고 해요?

    나 : ....

방학 계획

1. 방학/휴가에 무엇을 하려고 해요? 잘 듣고 맞는 것을 찾아 번호를 써 보세요. 🔊 01

1) ⬜　　　2) ⬜　　　3) ⬜

① 　　　② 　　　③

2. 다음을 잘 듣고 질문에 답해 보세요. 🔊 02

1) 마리 씨는 휴가에 어디에 가려고 해요?

⬜ ⬜ 에 가려고 해요.

2) 재민 씨는 휴가에 무엇을 하려고 해요?

①　　　②　　　③

3. 다시 듣고 대화를 완성해 보세요. 🔊 03

마리 : 재민 씨, _____ 뭐 할 거예요?

재민 : 한국에 갈 거예요. 가족도 만나고 _____.

　　　 마리 씨는요?

마리 : 친구하고 _____. 우리는 바다를 좋아해요.

　　　 그래서 바다에 갈 거예요. 바다에서 _____

　　　 유명한 _____.

4. 대화를 다시 듣고 따라 해 보세요. 🔊 04

5. 잘 듣고 바르게 발음한 것에 √ 표시를 해 보세요. 🔊 05

1) 맛집　　가 (　　) 나 (　　)

2) 덥고　　가 (　　) 나 (　　)

3) 여섯 개　가 (　　) 나 (　　)

나의 여행 계획 1

1. 다음을 잘 읽고 질문에 답하세요.

저는 다음 주부터 휴가예요. 휴가에 한국으로 여행을 갈 거예요. 이번 여행은 혼자 가요. 부산에 가려고 해요. 부산은 바다가 아주 아름답고 유명해요. 저는 바다 옆에 있는 호텔에서 잘 거예요. 바다에서 수영도 하고 산책도 할 거예요. 그리고 한국 친구를 만나고 생선 요리도 많이 먹으려고 해요. 빨리 부산에 가고 싶어요.

1) 이 사람은 휴가에 무엇을 할 거예요?

<table><tr><td> </td><td> </td><td> </td><td> </td></tr></table> 을/를 할 거예요.

2) 이 사람은 바다에서 무엇을 하려고 해요?

①   ②   ③

3) 읽은 내용과 같으면 ○, 다르면 × 표시를 해 보세요.

① 친구하고 같이 한국에 가요.   (   )

② 이 사람은 이번 주부터 휴가예요.   (   )

나의 여행 계획 2

---

1. 그림을 보고 다음 표현을 사용하여 글을 완성해 보세요.

저는 다음 주부터 .... (휴가이다) 이번 휴가에

.... (여행, 가다) 제주도에 가려고 해요. 제주도 바다는 아주 유명해요.

그리고 제주도에는 .... (유명하다, 산, 있다) 저는 바다에서 수영도 하고

.... (등산, 하다)   (수영복, 등산화, 없다)

오늘은 백화점에서 쇼핑을 할 거예요. 빨리 제주도에 가고 싶어요.

---

2. 알맞은 표현을 골라 글을 완성해 보세요.

| 방학이다 | 유명하다 | 수영 | 하다 |

| 방학 | 선글라스 | 등산화 | 없다 | 바다 | 있다 | 설악산 | 가다 |

저는 다음 주부터 .... 저는 이번 .... 여행을 갈 거예요.

.... 설악산은 아주 ....

그리고 설악산 옆에는 아름다운 ....

저는 등산도 하고 ....

....

오늘은 쇼핑몰에서 쇼핑을 할 거예요. 빨리 설악산에 가고 싶어요.

여행 경험

1. 여행지에서 뭘 했어요? 그림을 보고 써 보세요.

1)

공연을 봤어요.

2)

3)

4)

5)

6)

---

2. 그림을 보고 알맞은 것을 골라 대화를 완성해 보세요.

| 한복 | 삼계탕 | 거리 구경 | 축제 | 케이팝(K-POP) 콘서트 |

부산에서 뭐 했어요?

영화 축제를 봤어요.

1)

가 : 명동에서 뭘 했어요?

나 : _____ 먹었어요.

2)

가 : 인사동에서 뭐 했어요?

나 : _____ 했어요.

3)

가 : 서울에서 뭐 했어요?

나 : _____ 갔어요.

4)

가 : 경복궁에서 뭐 했어요?

나 : _____ 입고 사진을 찍었어요.

-(으)ㄴ 후에

1. 빈칸을 채워 보세요.

동사	-은 후에	동사	-ㄴ 후에
먹다	먹은 후에	보다	본 후에
씻다		사다	
읽다		마시다	
★듣다	들은 후에	★만들다	만든 후에

2. 그림을 보고 문장을 완성해 보세요.

1) →   손을 씻은 후에 밥을 먹어요   .

2) →   .

3) →   .

4) → _____ .

3. 다음과 같이 문장을 바꿔 보세요.

> 식사를 해요. 그리고 차를 마셔요.

→ 식사를 한 후에 차를 마셔요   .

1) 운동을 해요. 그리고 샤워를 해요.

   → _____ .

2) 책을 읽어요. 그리고 음악을 들어요.

   → _____ .

3) 공연을 봐요. 그리고 사진을 찍어요.

   → _____ .

4) 거리 구경을 해요. 그리고 맛집에 가요.

   → _____ .

보다

---

1. 다음과 같이 문장을 완성해 보세요.

> 사과가 딸기보다 싸요.
>
> (사과, 딸기, 싸다)

1) _____. (지하철, 버스, 편하다)

2) _____. (오늘, 어제, 따뜻하다)

3) _____. (삼계탕, 비빔밥, 맛있다)

4) _____. (드라마, 영화, 재미있다)

5) _____. (여름, 겨울, 좋다)

6) _____. (떡볶이, 순두부찌개, 맵다)

---

2. 그림을 보고 대화를 완성해 보세요.

> 무슨 과일을 더 좋아해요?
>
> 바나나보다 수박을 더 좋아해요.

1)

가 : 어떤 가방이 좋아요?

나 : _____.

2)

가 : 뭐가 더 편해요?

나 : _____.

3)

가 : 백화점이 가까워요? 시장이 가까워요?

나 : _____.

4)

가 : 남자가 많아요? 여자가 많아요?

나 : _____.

여행 이야기

---

1. 여행 경험에 대해 이야기해요. 잘 듣고 맞는 것을 찾아 번호를 써 보세요. 🔊 01

1) [　　　] 　　　 2) [　　　] 　　　 3) [　　　]

① 　　　　 ② 　　　　 ③ 인사동

---

2. 다음을 잘 듣고 질문에 답해 보세요. 🔊 02

1) 마리 씨는 어디에 여행을 갔어요?

[　][　] 에 갔어요.

2) 마리 씨는 여행에서 무엇을 했어요? <u>모두</u> 고르세요.

① 　　　　 ② 　　　　 ③

---

3. 다시 듣고 대화를 완성해 보세요. 🔊 03

재민 : 마리 씨, ... 잘 다녀왔어요?

마리 : 네. .... 더 좋았어요.

재민 : 아, 그래요? ....?

마리 : 맛집에도 많이 가고 ....

재민 : ....?

마리 : 네. 날씨도 아주 좋았어요.

---

4. 대화를 다시 듣고 따라 해 보세요. 🔊 04

5. 잘 듣고 바르게 발음한 것에 √ 표시를 해 보세요. 🔊 05

1) 괜찮아요 　가 (　　) 나 (　　)
2) 많아요 　가 (　　) 나 (　　)
3) 싫어해요 　가 (　　) 나 (　　)

나의 여행 1

1. 다음을 잘 읽고 질문에 답하세요.

저는 작년 2월에 친구하고 제주도에 갔습니다. 날씨가 아주 맑았습니다. 그렇지만 바람이 많이 불어서 좀 추웠습니다. 제주도에는 유명한 산이 있습니다. 한라산입니다. 우리도 한라산에 갔습니다. 기분이 좋아서 사진을 많이 찍었습니다. 정말 아름다웠습니다.

1) 이 사람은 제주도에서 무엇을 했어요?

①　　　　　　　　　②　　　　　　　　　③

2) 제주도의 날씨가 어땠어요?

바람이 불어서 좀 ☐☐☐☐☐.

3) 읽은 내용과 같으면 ○, 다르면 × 표시를 해 보세요.

①　이 사람은 작년에 친구하고 여행을 했습니다.　（　　　）
②　제주도 호텔에서 사진을 많이 찍었습니다.　（　　　）

나의 여행 2

1. 그림을 보고 다음 표현을 사용하여 글을 완성해 보세요.

저는 _____ (작년 여름) 동생하고 같이 _____ . (부산, 가다) 우리는

바다에서 _____ (수영, 하다) 바닷가에서 _____ . (산책, 하다)

저녁에는 _____ . (유명하다, 시장, 가다)

그 시장에는 _____ . (생선, 많다)

우리는 시장에 있는 _____ . (식당, 생선 요리, 먹다)

맛있었습니다. _____ (저녁, 먹다) 호텔에서 바다를

봤습니다. 부산 바다는 낮보다 밤에 더 아름다웠습니다. 저는 부산을 정말 좋아합니다.

---

2. 알맞은 표현을 골라 글을 완성해 보세요.

선물 가게	많다		인사동	가다		멋있다
한복	입다		선물	사다		한강	보다

저는 작년 가을에 세종학당 친구하고 서울에 갔습니다. 우리는 경복궁에서 _____

사진을 찍었습니다. 저녁에는 _____ .

인사동에는 _____ .

우리는 인사동에 있는 선물 가게에서 _____ . 인사동 쇼핑이 아주

재미있었습니다. 저녁을 먹은 후에 호텔에서 _____ .

한강은 _____ . 저는 서울을 정말 좋아합니다.

신체와 증상

1. 어디가 아파요? 그림을 보고 써 보세요.

1)

배가 아파요.
....

2)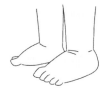

....

3)

....

4)

....

5)

....

6)

....

---

2. 그림을 보고 알맞은 것을 골라 대화를 완성해 보세요.

목이 아프다   열이 나다   콧물이 나다   기침을 하다   머리가 아프다

어디가 아파요?

머리가 아파요.

1)

가 : 어디가 아파요?

나 : ....

2)

가 : 감기에 걸렸어요?

나 : 네. ....

3)

가 : 많이 아파요?

나 : 네. ....

4)

가 : 기침을 많이 해요?

나 : 아니요. 지금은 ....

–지만

1. 다음과 같이 문장을 완성해 보세요.

> 날씨가 좋지만
> 좀 추워요.
>
> (날씨가 좋다)

1) _____ 비싸요. (신발이 예쁘다)

2) _____ 재미있어요. (운동이 힘들다)

3) _____ 동생은 고기를 먹어요. (나는 고기를 안 먹다)

4) _____ 음식이 맛있어요. (식당이 작다)

5) _____ 오늘은 비가 안 와요. (어제는 비가 오다)

6) _____

지금은 길이 복잡해요. (아까는 길이 안 복잡하다)

---

2. 그림을 보고 대화를 완성해 보세요.

> 바지를 안 사요?

> 네. 싸지만 길어요.

1)
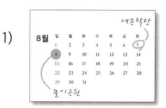
가 : 주말에 세종학당에 가요?

나 : _____ .

2)

가 : 생선을 안 먹어요?

나 : 네. _____ .

3)

마리   재민

가 : 재민 씨도 여행을 가요?

나 : 아니요. _____ .

4)

어제   오늘

가 : 오늘도 눈이 와요?

나 : 아니요. _____ .

–아야 / 어야 되다

---

1. 빈칸을 채워 보세요.

동사/형용사	–아야 되다	동사/형용사	–어야 되다	동사/형용사	해야 되다
가다	가야 돼요	먹다	먹어야 돼요	일하다	일해야 돼요
오다		쉬다		공부하다	
타다		있다		준비하다	
좋다		★크다	커야 돼요	편하다	

---

2. 알맞은 것을 골라 문장을 완성해 보세요.

우산을 준비하다　　오늘 공부하다　　선물을 사다　　약을 먹다　　푹 쉬다

> 머리가 아파요.
> 약을 먹어야 돼요.

1) 너무 피곤해요. _____.

2) 밖에 비가 와요. _____.

3) 내일 시험이 있어요. _____.

4) 오늘이 친구 생일이에요. _____.

---

3. 다음과 같이 대화를 완성해 보세요.

> 책 다 읽었어요?

> 아니요. 지금부터 읽어야 돼요.
> (지금부터 읽다)

1) 가 : 약을 언제 먹어요?
　　나 : _____. (식사한 후에 먹다)

2) 가 : 어디에서 내려요?
　　나 : _____. (이번 정류장에서 내리다)

3) 가 : 오늘 회사에 못 가요?
　　나 : 네. _____. (병원에 가다)

4) 가 : 파티 준비 다 했어요?
　　나 : 아니요. _____. (과일을 더 사다)

마리 씨의 증상

1. 어디가 아파요? 잘 듣고 맞는 것을 찾아 번호를 써 보세요. 🔊 01

1) [   ]　　　2) [   ]　　　3) [   ]

①　　　　　　　　　②　　　　　　　　　③

2. 다음을 잘 듣고 질문에 답해 보세요. 🔊 02

1) 마리 씨는 토요일에 무엇을 했어요?

[   ][   ] 을/를 했어요.

2) 마리 씨는 지금 어디가 아파요? <u>모두</u> 고르세요.

①　　　　　　　　　②　　　　　　　　　③

3. 다시 듣고 대화를 완성해 보세요. 🔊 03

재민 : 마리 씨, ...?

마리 : 네. 토요일에 등산을 한 후에 .... 허리도 많이 아파요.

　　　 그래서 잘 못 걷고 ....

재민 : 병원에 갔어요?

마리 : 네. 어제 갔지만 ....

4. 대화를 다시 듣고 따라 해 보세요. 🔊 04

5. 잘 듣고 바르게 발음한 것에 √ 표시를 해 보세요. 🔊 05

1) 앉아요　가 (　　　) 나 (　　　)

2) 읽어요　가 (　　　) 나 (　　　)

3) 짧아요　가 (　　　) 나 (　　　)

나의 감기

1. 다음을 잘 읽고 질문에 답하세요.

저는 요즘 일이 많아서 밤에 잠을 많이 못 잤어요. 오늘 아침부터 열이 많이 났어요. 머리도 아프고 목도 아팠어요. 약을 먹었지만 계속 아팠어요. 그래서 오늘은 회사에 안 가고 오후에 병원에 갔어요. 저는 약을 더 먹고 며칠 집에서 쉬어야 돼요.

1) 이 사람은 오후에 무엇을 했어요?

①  ②  ③

2) 이 사람은 어디가 아파요?

<table>
<tr><td>　</td><td>　</td><td>하고</td><td>　</td><td>이 아파요.</td></tr>
</table>

3) 읽은 내용과 같으면 ○, 다르면 × 표시를 해 보세요.

① 이 사람은 일이 많아서 잠을 못 잤어요. (　　　)

② 이 사람은 약을 계속 먹어야 돼요. (　　　)

동생의 감기

1. 그림을 보고 다음 표현을 사용하여 글을 완성해 보세요.

어제부터 _____. (동생, 많이 아프다) 그래서 저는 오늘

동생하고 같이 _____. (병원, 가다) 동생은 어제 수영장에

다녀온 후에 _____ (기침, 하다) _____ (열, 많이 나다)

밤에 _____ (약, 먹다) 계속 기침을 하고 _____. (열, 나다)

그래서 오늘 아침에 _____. (병원, 가다) 약도 다시 샀어요.

지금은 열이 없어서 잘 자요. 그렇지만 동생은 계속 약을 잘 먹고 푹 쉬어야 돼요.

---

2. 알맞은 표현을 골라 글을 완성해 보세요.

| 저 | 많이 아프다 | 콧물 | 나다 | 약 | 다시 사다 |
| 목 | 아프다 | 약 | 먹다 | 계속 | 약 | 잘 먹다 | 쉬다 |

어제부터 _____. 그래서 저는 오늘 언니하고 병원에 갔어요.

저는 주말에 자전거를 탄 후에 _____.

어제 _____ 목이 많이 아프고 콧물도 많이 났어요.

그래서 오늘 아침에 병원에 갔어요. _____.

지금은 콧물이 많이 안 나서 좋아요. _____.

건강한 생활

1. 어떤 좋은 습관이 있어요? 그림을 보고 써 보세요.

1)

일찍 일어나요.
....

2)

....

3)

....

4)

....

5)

....

6)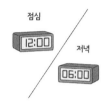

....

---

2. 알맞은 것을 골라 대화를 완성해 보세요.

> (자주 걷다)   (식사 시간을 잘 지키다)   (채소와 과일을 많이 먹다)

> (잠을 잘 자다)   (일찍 일어나다)

> 저녁에 보통 뭐 해요?

> 저는 저녁에 산책을 해요.
> 공원에서 자주 걸어요.

1) 가 : 안나 씨는 아침에 수영을 해요?

    나 : 네. 그래서 저는 ....

       보통 6시에 일어나요.

2) 가 : 뭘 샀어요?

    나 : 오이하고 사과를 샀어요. 저는 보통 ....

       ....

3) 가 : 유진 씨는 점심을 먹었어요?

    나 : 그럼요. 매일 12시에 점심을 먹어요. 저는 ....

       ....

4) 가 : 재민 씨, 요즘은 안 피곤해요?

    나 : 네. 안 피곤해요. 요즘 밤에 ....

-기 전에

1. 알맞은 것을 골라 문장을 완성해 보세요.

청소하다　　요리하다　　아침을 먹다　　수영을 하다　　고향에 돌아가다

아침을 먹기 전에 샤워를 해요.

1) .... 손을 씻어요.

2) .... 창문을 열어요.

3) .... 준비 운동을 해요.

4) .... 동생 선물을 살 거예요.

2. 다음과 같이 문장을 바꿔 보세요.

식사를 해요. 그리고 약을 먹어요.

→ 약을 먹기 전에 식사를 해요.

1) 아침을 먹어요. 그리고 운동을 해요.

→ ....

2) 음악을 들어요. 그리고 잠을 자요.

→ ....

3) 영화를 봐요. 그리고 저녁을 먹어요.

→ ....

4) 숙제를 해요. 그리고 학교에 가요.

→ ....

5) 창문을 닫아요. 그리고 집에서 나가요.

→ ....

6) 요가를 해요. 그리고 회사에 가요.

→ ....

–아서 / 어서

1. 빈칸을 채워 보세요.

동사	-아서	동사	-어서	동사	해서
가다	가서	씻다	씻어서	수영하다	수영해서
사다		찍다		요리하다	
오다		만들다		전화하다	
만나다		★쓰다	써서	초대하다	
일어나다		★걷다	걸어서	이야기하다	

2. 다음과 같이 문장을 완성해 보세요.

> 은행에 가요. 그 은행에서 돈을 찾아요.

→ 은행에 가서 돈을 찾아요.

1) 친구를 만나요. 그 친구하고 쇼핑을 해요.

→ ....

2) 바다에 갔어요. 그 바다에서 수영을 했어요.

→ ....

3) 떡볶이를 만들었어요. 그 떡볶이를 동생하고 같이 먹었어요.

→ ....

4) 친구들을 집에 초대할 거예요. 그 친구들과 파티를 할 거예요.

→ ....

3. 다음 중 알맞은 것을 고르세요.

1) 세종학당에 (가고 / 가서) 한국어를 공부해요.

2) 자전거를 (타고 / 타서) 회사에 가요.

3) 사과를 (씻고 / 씻어서) 먹을 거예요.

4) 아침에 (일어나고 / 일어나서) 운동을 했어요.

5) 점심에 김밥을 (사고 / 사서) 먹었어요.

6) 정장을 (입고 / 입어서) 친구 결혼식에 갔어요.

좋은 습관

1. 좋은 습관에 대해 이야기해요. 잘 듣고 맞는 것을 찾아 번호를 써 보세요. 🔊 01

1) [　　　]   2) [　　　]   3) [　　　]

①   ②   ③

2. 다음을 잘 듣고 질문에 답해 보세요. 🔊 02

1) 수지 씨는 학교에 가기 전에 무엇을 해요?

①   ②   ③

2) 수지 씨는 아침을 어디에서 먹어요?

[　][　][　][　] 에서 먹어요.

3. 다시 듣고 대화를 완성해 보세요. 🔊 03

주노 : 수지 씨, 아침 일찍 어디에 가요?

수지 : 헬스클럽에 가요. 저는 학교에 가기 전에 _____ .

주노 : 보통 몇 시에 _____ ?

수지 : _____ .

주노 : 그래요? 그럼 아침은 안 먹어요?

수지 : 운동을 하고 _____ 아침을 먹어요.

4. 대화를 다시 듣고 따라 해 보세요. 🔊 04

5. 잘 듣고 바르게 발음한 것에 √ 표시를 해 보세요. 🔊 05

1) 여덟   가 (　　) 나 (　　)
2) 값   가 (　　) 나 (　　)
3) 닭   가 (　　) 나 (　　)

나의 생활 습관 1

1. 다음을 잘 읽고 질문에 답하세요.

저는 아침에 일찍 일어나요. 아침을 꼭 먹어요. 아침에는 빵하고 과일을 먹어요. 회사에 걸어서 가요. 점심은 회사 근처 식당에서 먹어요. 저녁은 집에 가서 먹어요. 저녁에는 채소를 많이 먹어요. 저녁을 먹고 공원에 가서 산책을 해요. 자기 전에 책을 읽어요. 그리고 11시쯤 자요.

1) 이 사람은 회사에 어떻게 가요?

회사에 [ ][ ][ ] 가요.

2) 이 사람은 저녁을 먹고 무엇을 해요?

①    ②    ③

3) 읽은 내용과 같으면 ○, 다르면 × 표시를 해 보세요.

① 이 사람은 회사 근처 식당에서 저녁을 먹어요.　（　　）
② 이 사람은 책을 읽고 잠을 자요.　　　　　　　（　　）

나의 생활 습관 2

1. 그림을 보고 다음 표현을 사용하여 글을 완성해 보세요.

저는 아침에 일찍 일어나요. 회사에 ＿＿＿＿＿＿＿＿＿＿＿ (가다, 전) 운동을 해요. 운동을

하고 아침을 꼭 먹어요. 점심은 보통 회사 근처 ＿＿＿＿＿＿＿＿＿＿. (식당, 가다, 먹다)

회사에서 일이 끝나고 집에 와요. 집에서 저녁을 먹고 ＿＿＿＿＿＿＿＿. (공원, 가다, 산책, 하다)

그리고 ＿＿＿＿＿＿＿＿＿ (자다, 전) 음악을 들어요. 11시쯤 잠을 자요.

---

2. 그림을 보고 알맞은 표현을 골라 글을 완성해 보세요.

| 자다 | 전 | 가다 | 전 | 수영 | 하다 | 책 | 읽다 |

| 공원 | 가다 | 식당 | 가다 | 먹다 | 자전거 | 타다 |

저는 아침에 일찍 일어나요. 학교에 ＿＿＿＿＿＿＿＿＿＿＿＿＿＿＿.

수영을 하고 아침을 먹어요. 점심은 학교 근처 ＿＿＿＿＿＿＿＿＿＿＿＿＿.

수업이 끝나고 집에 와요. 집에서 룸메이트하고 저녁을 먹고 ＿＿＿＿＿＿

＿＿＿＿＿＿＿＿＿＿. 그리고 ＿＿＿＿＿＿＿＿＿＿＿＿＿.

10시쯤 잠을 자요.

1. 모임을 준비해요. 무엇을 해야 돼요? 그림을 보고 써 보세요.

1)

시간을 정해요.

2)

3)

4)

5)

6)

---

2. 알맞은 것을 골라 대화를 완성해 보세요.

| 정하다 | 예약하다 | 준비하다 | (선물하다) | 초대하다 |

> 수지 씨는 무슨 선물을 자주 해요?

> 저는 꽃을 자주 선물해요.

1) 가 : 독서 모임은 언제 해요?

    나 : 모르겠어요. 모임 시간을 아직 안 ....

2) 가 : 다음 모임 식사 준비는 어떻게 할까요?

    나 : 저하고 주노 씨가 음식을 ....

3) 가 : 안나 씨, 반 모임 장소를 .... ?

    나 : 아니요. 이따가 한국식당에 전화할 거예요.

4) 가 : 재민 씨도 내일 모임에 .... ?

    나 : 네. 재민 씨도 모임에 올 거예요.

–(으)ㄹ 수 있다, 없다

1. 빈칸을 채워 보세요.

동사	-을 수 있다	동사	-ㄹ 수 있다
먹다	먹을 수 있어요	가다	갈 수 있어요
받다		치다	
읽다		타다	
찍다		운전하다	
★듣다	들을 수 있어요	★만들다	만들 수 있어요

2. 알맞은 것을 골라 문장을 완성해 보세요.

타다	먹다	읽다	치다	만들다

> 매운 음식을 먹을 수 있어요.

1) 겨울에 스키를 _____.

2) 한글을 잘 _____.

3) 귀여운 인형을 _____.

4) 피아노하고 기타를 _____.

3. 다음과 같이 대화를 완성해 보세요.

> 안나 씨, 저녁에 같이 쇼핑하러 갈까요?

> 내일 시험이 있어서 쇼핑하러 갈 수 없어요.

1) 가 : 수지 씨, 저하고 좀 이야기할 수 있어요?

　　나 : 제가 목이 아파서 _____.

2) 가 : 주노 씨, 반 모임에 올 수 있어요?

　　나 : 다른 약속이 있어서 _____.

3) 가 : 유진 씨, 주말에 같이 축구할까요?

　　나 : 다리를 다쳐서 _____.

4) 가 : 재민 씨, 어제 왜 잠을 못 잤어요?

　　나 : 커피를 많이 마셔서 _____.

–고 있다

1. 알맞은 것을 골라 문장을 완성해 보세요.

보다	타다	사다	만나다	듣다	공부하다	먹다

> 도서관에서 한국어를
> 공부하고 있어요.

1) 집에서 음악을 ....

2) 식당에서 점심을 ....

3) 공원에서 자전거를 ....

4) 영화관에서 영화를 ....

5) 카페에서 친구를 ....

6) 백화점에서 신발을 ....

2. 그림을 보고 대화를 완성해 보세요.

1) 가 : 누가 음식을 만들고 있어요?

　　나 : ....

2) 가 : 누가 메시지를 보내고 있어요?

　　나 : ....

3) 가 : 재민 씨는 지금 뭐 하고 있어요?

　　나 : ....

4) 가 : 수지 씨는 지금 뭐 하고 있어요?

　　나 : ....

반 모임

1. 모임을 하기 전에 무엇을 준비해요? 잘 듣고 맞는 것을 찾아 번호를 써 보세요. 🔊 01

1) [　　　　]　　　2) [　　　　]　　　3) [　　　　]

① (image)　　　　② 토요일 반 모임 (image)　　　　③ 행복식당에서 만나요. (image)

2. 다음을 잘 듣고 질문에 답해 보세요. 🔊 02

1) 토요일에 이 사람들은 무엇을 해요?

① (image)　　　② (image)　　　③ (image)

2) 유진 씨는 무엇을 해야 돼요?

[　][　] 을/를 [　][　] 해야 돼요.

3. 다시 듣고 대화를 완성해 보세요. 🔊 03

마리 : 유진 씨, 금요일 저녁에 반 모임을 하려고 해요. ＿＿＿＿＿＿＿＿＿＿?

유진 : 금요일이요? 요즘 금요일에 ＿＿＿＿＿＿＿＿＿ 시간이 안 돼요.

마리 : 그래요? ＿＿＿＿＿＿＿＿＿＿＿＿＿＿?

유진 : 네. 토요일에는 시간이 돼요.

마리 : 그럼 토요일 6시에 모여요. 유진 씨, ＿＿＿＿＿＿＿＿＿＿＿?

유진 : 마리 씨, 행복식당은 어때요?

마리 : 네. 좋아요. 유진 씨가 ＿＿＿＿＿＿＿＿＿＿?

유진 : 네. 할 수 있어요.

마리 : 고마워요. 우리 토요일에 봐요.

4. 대화를 다시 듣고 따라 해 보세요. 🔊 04

5. 잘 듣고 바르게 발음한 것에 √ 표시를 해 보세요. 🔊 05

1) 못 와요　　가 (　　)　나 (　　)

2) 못 읽어요　　가 (　　)　나 (　　)

3) 못 앉아요　　가 (　　)　나 (　　)

한국 드라마 모임

1. 다음을 잘 읽고 질문에 답하세요.

> ### 한국 드라마 모임에 초대합니다.
>
> 한국 드라마를 좋아하는 사람들이 모여서 같이 한국 드라마를 보고 이야기할 거예요.
> 모임에서 한국 음식도 같이 먹어요.
> 한국 드라마 모임에 오세요. 여러분을 기다립니다.
>
> 시간: 매주 토요일 저녁 6시 ~ 8시
> 장소: 세종학당 201호
> 문의: 유진(010-1562-9122)

1) 이 모임에는 어떤 사람들이 모여요?

　□□　□□□　을/를 좋아하는 사람들이 모여요.

2) 이 모임에서는 무엇을 할 거예요? <u>모두</u> 고르세요.

① 　　② 　　③

3) 읽은 내용과 같으면 ○, 다르면 × 표시를 해 보세요.

　① 이 모임은 토요일 낮에 해요.　　　(　　)
　② 사람들은 세종학당에서 모임을 할 거예요.　　(　　)

생일 파티

1. 그림을 보고 다음 표현을 사용하여 글을 완성해 보세요.

다음 주에 _____. (한국어 수업, 끝나다) 우리 반 친구들은 다음 주에

모두 모일 수 있어요. 그래서 _____ (저, 친구들, 함께)

반 모임을 준비하고 있어요. 반 모임은 _____. (식당, 하다)

저는 _____ (한국식당, 예약하다)

마리 씨는 케이크를 준비할 거예요. 반 모임에서

_____ (맛있다, 음식, 먹다) 친구들과 이야기를 많이 하고 싶어요.

---

2. 알맞은 표현을 골라 글을 완성해 보세요.

| 생일 파티 | 준비하다 | | 금요일 | 유진 씨의 생일이다 | | 모두 모이다 |

| 세종식당 | 예약하다 | | 친구들 | 이야기 | 많이 하다 | | 선물 | 사다 |

이번 주 _____. 친구들은

금요일 저녁에 _____. 그래서 저와 친구들은 함께 유진 씨의 _____.

생일 파티는 식당에서 할 거예요. 안나 씨는 _____.

저와 수지 씨는 _____.

파티에서 유진 씨의 생일을 축하하고 _____.

1. 언제 선물을 줘요? 그림을 보고 써 보세요.

1)

명절
....

2)

....

3)

....

4)

....

5)

....

6)

....

---

2. 그림을 보고 알맞은 것을 골라 대화를 완성해 보세요.

| 꽃 | 지갑 | 신발 | 게임기 | 케이크 |

유진 씨, 생일에 무슨
선물을 받았어요?

게임기를 받았어요.

1)
가 : 지니 씨 졸업식 때 무슨 선물을 할 거예요?
나 : 저는 _____ 주고 싶어요.

2)
가 : 어버이날 선물은 준비했어요?
나 : 네. 편지하고 _____ 준비했어요.

3)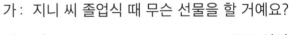
가 : 동생 입학식에 무슨 선물을 줄 거예요?
나 : _____ 줄 거예요.

4)
가 : 어제 생일에 뭐 먹었어요?
나 : 피자하고 _____ 먹었어요. 정말 맛있었어요.

---

1. 다음과 같이 문장을 완성해 보세요.

> 유진 씨가 안나 씨에게 빵을 주었어요.
>
> (안나 씨, 빵, 주다)

1) 제가 _____ . (친구, 편지, 쓰다)

2) 형이 _____ . (고양이, 물, 주다)

3) 주노 씨가 _____ . (형, 선물, 보내다)

4) 재민 씨가 _____

_____ . (누나, 화장품, 선물하다)

5) 수지 씨가 _____

_____ . (친구, 여행 계획, 말하다)

6) 마리 씨가 _____

_____ . (안나 씨, 전화번호, 묻다)

---

2. 그림을 보고 문장을 완성해 보세요.

유진 → 형

> 유진 씨가 형한테 메시지를 보냈어요.

1)

주노   유진

주노 씨가 _____

_____ 주었어요.

2)

수지   친구

수지 씨가 _____

_____ 선물했어요.

3)

마리   재민

마리 씨가 _____

_____ 썼어요.

4)

안나   수지

안나 씨가 _____

_____ 했어요.

1. 빈칸을 채워 보세요.

동사/형용사	-으니까	동사/형용사	-니까
먹다	먹으니까	가다	가니까
많다		하다	
있다		바쁘다	
좋다		비싸다	
★덥다	더우니까	★멀다	머니까

2. 알맞은 것을 골라 문장을 완성해 보세요.

덥다	많다	멀다	좋아하다	방학이다

> 오늘은 숙제가 많으니까 내일 만나요.

1) 날씨가 ＿＿＿＿＿＿＿＿＿＿＿＿＿＿＿＿ 아이스크림을 먹어요.

2) 다음 주부터 ＿＿＿＿＿＿＿＿＿＿＿＿＿＿ 부산에 놀러 갈까요?

3) 백화점까지 조금 ＿＿＿＿＿＿＿＿＿＿＿ 버스를 타고 가세요.

4) 유진 씨가 운동을 ＿＿＿＿＿＿＿＿＿＿ 운동화 선물은 어때요?

3. 알맞은 것을 연결하고 써 보세요.

지금은 바쁘다	•		• 걸어서 가다
1) 도서관이 조용하다	•		• 같이 선물을 사다
2) 우체국이 가깝다	•		• 거기에서 공부하다
3) 내일 재민 씨 생일이다	•		• 점심을 일찍 먹다
4) 아침을 못 먹었다	•		• 이따가 이야기하다

> 지금은 바쁘니까 이따가 이야기해요.

1) ＿＿＿＿＿＿＿＿＿＿＿＿＿＿＿＿＿＿＿＿＿＿ .

2) ＿＿＿＿＿＿＿＿＿＿＿＿＿＿＿＿＿＿＿＿＿＿ .

3) ＿＿＿＿＿＿＿＿＿＿＿＿＿＿＿＿＿＿＿＿＿＿ .

4) ＿＿＿＿＿＿＿＿＿＿＿＿＿＿＿＿＿＿＿＿＿＿ .

마리 씨의 선물

1. 언제 무슨 선물을 줘요? 잘 듣고 맞는 것을 찾아 번호를 써 보세요.

01

1) [　　　] 2) [　　　] 3) [　　　]

① ② ③

2. 다음을 잘 듣고 질문에 답해 보세요.

02

1) 주노 씨는 마리 씨에게 무슨 선물을 줄 거예요?

① ② ③

2) 안나 씨는 왜 그릇을 선물하려고 해요?

마리 씨가 [　][　] 을/를 [　][　] 해요.

3. 다시 듣고 대화를 완성해 보세요.

03

안나 : 주노 씨, 마리 씨 _____ 무슨 선물을 할 거예요?

주노 : _____ 선물할 거예요. 안나 씨는 _____?

안나 : 아니요. _____ 준비를 못 했어요. 어떤 _____?

주노 : 마리 씨가 _____ 그릇은 어때요?

안나 : 네. _____ 생각이에요. 고마워요.

4. 대화를 다시 듣고 따라 해 보세요.
04

5. 잘 듣고 바르게 발음한 것에 √ 표시를 해 보세요.
05

1) 못 했어요 가 (　　) 나 (　　)

2) 못 해서 가 (　　) 나 (　　)

3) 못 하지만 가 (　　) 나 (　　)

누나의 선물 1

1. 다음을 잘 읽고 질문에 답하세요.

내일은 누나 생일이에요. 그래서 오늘 저는 아르바이트가 끝난 후에 꽃 가게에 갔어요. 거기에서 예쁜 꽃을 샀어요. 백화점에 가서 화장품도 샀어요. 동생은 축하 편지를 썼어요. 그리고 케이크를 만들었어요. 우리는 내일 아침에 누나에게 선물할 거예요.

1) 이 사람은 왜 선물을 준비했어요?

내일이 ☐☐ ☐☐ 이에요.

2) 동생은 무슨 선물을 준비했어요?

①

②

③

3) 읽은 내용과 같으면 ○, 다르면 × 표시를 해 보세요.

① 이 사람은 꽃을 사고 아르바이트를 하러 갔어요.   (   )
② 동생은 가게에서 케이크를 샀어요.   (   )

동생의 선물 2

1. 그림을 보고 다음 표현을 사용하여 글을 완성해 보세요.

저와 친구들은 오늘 안나 씨 .... (생일 파티) 갔어요. 우리는

.... (안나 씨) 생일 선물을 주었어요. 저는 안나 씨가 꽃을 좋아해서

.... (꽃, 주다) 유진 씨는 예쁜 모자를 선물했어요. 수지 씨는

.... (안나 씨, 운동복, 선물하다) 마리 씨는 바빠서 파티에

못 왔지만 축하 .... (메시지, 보내다)

2. 알맞은 표현을 골라 글을 완성해 보세요.

| 동생 | 졸업식 | 콘서트 표 | 주다 |

| 운동화 | 선물하다 | 메시지 | 보내다 |

우리 가족은 오늘 동생 .... 갔어요. 우리는

졸업 선물을 주었어요. 아버지는 동생이 운동을 자주 해서 ....

어머니는 예쁜 옷을 선물했어요. 저는 동생이 케이팝(K-POP)을 좋아해서

.... 누나는 바빠서 졸업식에 못 왔지만

축하 ....

부록

/ 듣기 지문　　　　　/ 모범 답안　　　　　/ 자료 출처

듣기
지문

1B

듣고 말하기 | 1번 | 15쪽

취미에 대해 이야기해요. 잘 듣고 맞는 것을 찾아 번호를 써 보세요.

1) 마리: 제 취미는 요리예요. 어제는 한국 음식을 만들었어요.
2) 유진: 저는 게임을 좋아해요. 보통 친구하고 같이 게임을 해요.
3) 안나: 저는 드라마를 좋아해요. 특히 한국 드라마를 자주 봐요.

듣고 말하기 | 2~4번 | 15쪽

안나: 재민 씨는 취미가 뭐예요?
재민: 저는 낚시를 좋아해요. 그래서 주말에 낚시를 하러 바다에 자주
　　　가요. 안나 씨는 뭘 좋아해요?
안나: 저는 운동을 좋아해요. 특히 테니스를 좋아해요.

듣고 말하기 | 5번 | 15쪽

잘 듣고 바르게 발음한 것에 √ 표시를 해 보세요.

1) 가 [트키]　　　　　　　나 [특히]
2) 가 [따뜯해요]　　　　　나 [따뜨태요]
3) 가 [대다패요]　　　　　나 [대답해요]

---

01 🔊 무슨 음식을 좋아해요?

듣고 말하기 | 1번 | 9쪽

음식에 대해 이야기해요. 잘 듣고 맞는 것을 찾아 번호를 써 보세요.

1) 가: 무슨 음식을 좋아해요?
　　나: 냉면을 좋아해요.
2) 가: 김치찌개는 어때요?
　　나: 조금 매워요. 하지만 맛있어요.
3) 가: 점심에 뭘 먹었어요?
　　나: 비빔밥을 먹었어요.

듣고 말하기 | 2~4번 | 9쪽

안나: 유진 씨, 무슨 음식을 좋아해요?
유진: 저는 불고기를 좋아해요. 안나 씨는요?
안나: 저는 떡볶이를 좋아해요. 그래서 떡볶이를 집에서 자주 먹어요.
유진: 안나 씨가 떡볶이를 만들어요?
안나: 네. 제가 떡볶이를 만들어요.

듣고 말하기 | 5번 | 9쪽

잘 듣고 바르게 발음한 것에 √ 표시를 해 보세요.

1) 가 [턱]　　　　　　　　나 [떡]
2) 가 [뿔]　　　　　　　　나 [풀]
3) 가 [찌개]　　　　　　　나 [치개]

---

03 🔊 백화점에서 쇼핑할 거예요

듣고 말하기 | 1번 | 21쪽

옷과 신발에 대해 이야기해요. 잘 듣고 맞는 것을 찾아 번호를 써 보세요.

1) 매일 공원에서 운동해요. 운동복을 입어요.
2) 저는 회사에 다녀요. 구두를 신고 회사에 가요.
3) 백화점에서 청바지를 샀어요. 아주 예뻐요.

듣고 말하기 | 2~4번 | 21쪽

주노: 마리 씨, 주말에 뭐 할 거예요?
마리: 이번 주말에는 약속이 없어요. 주노 씨, 왜요?
주노: 그럼 같이 백화점에 갈까요? 친구 생일 선물을 사고 싶어요.
마리: 좋아요. 그런데 뭘 살 거예요?
주노: 친구가 운동을 좋아해서 운동화를 살 거예요.

듣고 말하기 | 5번 | 21쪽

잘 듣고 바르게 발음한 것에 √ 표시를 해 보세요.

1) 가 [백화점]　　　　　　나 [배콰점]
2) 가 [추카해요]　　　　　나 [축하해요]
3) 가 [이파캐요]　　　　　나 [입학해요]

04 🔊 더 큰 사이즈는 없어요?

듣고 말하기 | 1번 | 27쪽

무엇을 사요? 잘 듣고 맞는 것을 찾아 √ 표시를 해 보세요.

1) 편한 운동화 좀 보여 주세요.
2) 긴 치마를 사고 싶어요.
3) 큰 책상을 살 거예요.

듣고 말하기 | 2~4번 | 27쪽

점원: 손님, 뭘 찾으세요?
안나: 치마 좀 보여 주세요.
점원: 이 치마는 어떠세요? 요즘 손님들이 많이 삽니다.
안나: 음. 조금 짧아요. 더 긴 치마는 없어요?
점원: 그럼 이건 어떠세요?
안나: 좋아요. 이거 주세요.

듣고 말하기 | 5번 | 27쪽

잘 듣고 바르게 발음한 것에 √ 표시를 해 보세요.

1) 가 [삼니다]   나 [삽니다]
2) 가 [이씁니다]   나 [인씀니다]
3) 가 [압문]   나 [암문]

05 🔊 세종 식당이 어디에 있어요?

듣고 말하기 | 1번 | 33쪽

어떻게 가요? 잘 듣고 맞는 것을 찾아 번호를 써 보세요.

1) 여기에서 똑바로 가세요.
2) 사무실은 3층이에요. 3층으로 올라가세요.
3) 은행은 이 건물 뒤에 있어요. 건물 뒤로 돌아가세요.

듣고 말하기 | 2~4번 | 33쪽

주노: 안나 씨, 우리 내일 세종박물관에 갈까요?
안나: 좋아요. 그런데 세종박물관이 어디에 있어요?
주노: 누리백화점 알아요?
안나: 네.
주노: 누리백화점에서 오른쪽으로 가요. 그러면 공원이 있어요. 그
　　　공원 앞에 세종박물관이 있어요.

듣고 말하기 | 5번 | 33쪽

잘 듣고 바르게 발음한 것에 √ 표시를 해 보세요.

1) 가 [방물관]   나 [박물관]
2) 가 [한국말]   나 [한궁말]
3) 가 [일곰명]   나 [일곱명]

06 🔊 한국미술관까지 어떻게 가요?

듣고 말하기 | 1번 | 39쪽

무엇을 타요? 잘 듣고 맞는 것을 찾아 번호를 써 보세요.

1) 세종학당에 버스를 타고 가요.
2) 회사에 차를 타고 가요. 제가 운전해요.
3) 집에서 학교까지 지하철을 타고 가요.

듣고 말하기 | 2~4번 | 39쪽

유진: 수지 씨, 주말에 시간 있어요?
수지: 네. 시간 있어요. 유진 씨, 왜요?
유진: 그럼 주말에 놀이공원에 갈까요?
수지: 네. 좋아요. 같이 가요. 그런데 놀이공원에 어떻게 가요?
유진: 세종학당 앞에서 버스를 타고 가요. 삼십 분쯤 걸려요.

듣고 말하기 | 5번 | 39쪽

잘 듣고 바르게 발음한 것에 √ 표시를 해 보세요.

1) 가 [세종학땅]   나 [세종학당]
2) 가 [학교]   나 [학꾜]
3) 가 [특별해요]   나 [특뼐해요]

07 🔊 제주도에 가려고 해요

듣고 말하기 | 1번 | 45쪽

방학/휴가에 무엇을 하려고 해요? 잘 듣고 맞는 것을 찾아 번호를 써
보세요.

1) 유진: 저는 가까운 바다에서 낚시를 하려고 해요.
2) 안나: 저는 친구들하고 수영장에 가려고 해요.
3) 마리: 저는 맛집에서 새로운 음식을 먹고 사진도 찍으려고 해요.

마리: 재민 씨, 이번 휴가에 뭐 할 거예요?
재민: 한국에 갈 거예요. 가족도 만나고 친구도 만나려고 해요.
　　　마리 씨는요?
마리: 친구하고 여행 갈 거예요. 우리는 바다를 좋아해요. 그래서 바다에
　　　갈 거예요. 바다에서 수영도 하고 유명한 맛집에도 가려고 해요.

잘 듣고 바르게 발음한 것에 √ 표시를 해 보세요.

1) 가 [맏찝]　　　　　　　나 [마집]
2) 가 [더꼬]　　　　　　　나 [덥꼬]
3) 가 [여서개]　　　　　　나 [여섣깨]

08 🔊　지난번 여행보다 좋았어요

여행 경험에 대해 이야기해요. 잘 듣고 맞는 것을 찾아 번호를 써 보세요.

1) 저는 서울에 갔어요. 한강에서 축제를 봤어요.
2) 인사동에 갔어요. 선물을 산 후에 거리 구경도 했어요.
3) 케이팝(K-POP) 콘서트를 봤어요. 공연이 끝난 후에 사진도 많이
　 찍었어요.

재민: 마리 씨, 서울 여행 잘 다녀왔어요?
마리: 네. 지난번 여행보다 더 좋았어요.
재민: 아, 그래요? 서울에서 뭐 했어요?
마리: 맛집에도 많이 가고 한복도 입었어요.
재민: 날씨는 괜찮았어요?
마리: 네. 날씨도 아주 좋았어요.

잘 듣고 바르게 발음한 것에 √ 표시를 해 보세요

1) 가 [괜찬하요]　　　　　나 [괜차나요]
2) 가 [마나요]　　　　　　나 [만나요]
3) 가 [시러해요]　　　　　나 [실러해요]

09 🔊　집에서 푹 쉬어야 돼요

어디가 아파요? 잘 듣고 맞는 것을 찾아 번호를 써 보세요.

1) 저는 요즘 눈이 아파서 책을 오래 못 읽어요.
2) 어제 열이 나고 기침을 해서 병원에 갔어요.
3) 지금 머리도 아프고 배도 아파요. 병원에 가야 돼요.

재민: 마리 씨, 다리가 아파요?
마리: 네. 토요일에 등산을 한 후에 다리가 아프고 허리도 많이 아파요.
　　　그래서 잘 못 걷고 의자에도 못 앉아요.
재민: 병원에 갔어요?
마리: 네. 어제 갔지만 오늘도 가야 돼요.

잘 듣고 바르게 발음한 것에 √ 표시를 해 보세요

1) 가 [안자요]　　　　　　나 [아나요]
2) 가 [일거요]　　　　　　나 [이꺼요]
3) 가 [짜바요]　　　　　　나 [짤바요]

10 🔊　학교에 가기 전에 수영을 해요

좋은 습관에 대해 이야기해요. 잘 듣고 맞는 것을 찾아 번호를 써 보세요

1) 저는 매일 운동을 해요. 보통 헬스클럽에 가서 운동을 해요.
2) 저는 아침에 일찍 일어나요. 보통 6시에 일어나요.
3) 저는 식사 시간을 잘 지켜요. 점심을 12시에 먹고 저녁은 6시에
　 먹어요.

주노: 수지 씨, 아침 일찍 어디에 가요?
수지: 헬스클럽에 가요. 저는 학교에 가기 전에 운동을 해요.
주노: 보통 몇 시에 운동을 하러 가요?
수지: 여덟 시에 가요.
주노: 그래요? 그럼 아침은 안 먹어요?
수지: 운동을 하고 학교 식당에 가서 아침을 먹어요.

잘 듣고 바르게 발음한 것에 √ 표시를 해 보세요.

1) 가 [여덜]   나 [여덥]
2) 가 [갑]   나 [갇]
3) 가 [달]   나 [닥]

---

11 🔊 한국 음식을 만들 수 있어요?

모임을 하기 전에 무엇을 준비해요? 잘 듣고 맞는 것을 찾아 번호를 써 보세요.

1) 가: 행복식당은 어때요? 거기 음식이 정말 맛있어요.
   나: 그럼 식당은 마리 씨가 예약해 주세요.
2) 가: 친구들이 모임 장소를 알아요?
   나: 아니요. 제가 아직 메시지를 못 보냈어요. 이따가 보낼 거예요.
3) 가: 반 모임을 언제 할까요? 이번 주말은 어때요?
   나: 좋아요. 이번 주말에 모임을 해요.

마리: 유진 씨, 금요일 저녁에 반 모임을 하려고 해요. 반 모임에 올 수
      있어요?
유진: 금요일요? 요즘 금요일에 기타를 배우고 있어서 시간이 안 돼요.
마리: 그래요? 토요일 저녁에는 시간이 돼요?
유진: 네. 토요일에는 시간이 돼요.
마리: 그럼 토요일 6시에 모여요. 유진 씨, 반 모임을 어디에서 할까요?
유진: 마리 씨, 행복식당은 어때요?
마리: 네. 좋아요. 유진 씨가 식당을 예약할 수 있어요?
유진: 네. 할 수 있어요.
마리: 고마워요. 우리 토요일에 봐요.

잘 듣고 바르게 발음한 것에 √ 표시를 해 보세요.

1) 가 [몯#와요]   나 [모돠요]
2) 가 [모딜거요]   나 [몯#일거요]
3) 가 [몯#안자요]   나 [모단자요]

---

12 🔊 저는 지니 씨에게 펜을 선물할 거예요

언제 무슨 선물을 줘요? 잘 듣고 맞는 것을 찾아 번호를 써 보세요.

1) 동생 졸업식에 시계를 선물할 거예요.
2) 친구 결혼식에 꽃을 선물할 거예요.
3) 누나 생일에 신발을 선물할 거예요.

안나: 주노 씨, 마리 씨 생일에 무슨 선물을 할 거예요?
주노: 마리 씨한테 지갑을 선물할 거예요. 안나 씨는 선물을 준비했어요?
안나: 아니요. 아직 준비를 못 했어요. 어떤 선물이 좋을까요?
주노: 마리 씨가 요리를 자주 하니까 그릇은 어때요?
안나: 네. 좋은 생각이에요. 고마워요.

잘 듣고 바르게 발음한 것에 √ 표시를 해 보세요.

1) 가 [모태써요]   나 [몯#해써요]
2) 가 [몯#해서]   나 [모태서]
3) 가 [모타지만]   나 [몯#하지만]

모범 답안 1B

문법 2 | 1번 | 8쪽

동사	못	동사	못
가다	못 가요	공부하다	공부를 못 해요
먹다	못 먹어요	수영하다	수영을 못 해요
치다	못 쳐요	요리하다	요리를 못 해요
타다	못 타요	운동하다	운동을 못 해요
만나다	못 만나요	이야기하다	이야기를 못 해요

문법 2 | 2번 | 8쪽

1) 못 타요
2) 못 봐요
3) 못 해요
4) 못 찍어요

문법 2 | 3번 | 8쪽

1) 낚시를 못 해요
2) 아침을 못 먹었어요
3) 공원에서 산책을 못 해요
4) 그 옷을 못 샀어요

듣고 말하기 | 1번 | 9쪽

1) ③
2) ①
3) ②

듣고 말하기 | 2번 | 9쪽

1)

① 안나 • —————— •

② 유진 • —————— •

2) 떡볶이

듣고 말하기 | 3번 | 9쪽

안나: 유진 씨, 무슨 음식을 좋아해요?
유진: 저는 불고기를 좋아해요. 안나 씨는요?
안나: 저는 떡볶이를 좋아해요. 그래서 떡볶이를 집에서 자주 먹어요.
유진: 안나 씨가 떡볶이를 만들어요?
안나: 네. 제가 떡볶이를 만들어요.

---

01 ✏️ 무슨 음식을 좋아해요?

어휘와 표현 | 1번 | 6쪽

2) 불고기
3) 김밥
4) 된장찌개
5) 떡볶이
6) 냉면

어휘와 표현 | 2번 | 6쪽

1) 김밥을
2) 된장찌개를
3) 비빔밥을
4) 불고기, 냉면을

문법 1 | 1번 | 7쪽

1) 무슨 운동을
2) 무슨 신발을
3) 무슨 선물을
4) 무슨 요일에

문법 1 | 2번 | 7쪽

1) 저는 치마를 사고 싶어요
2) 저는 가을을 제일 좋아해요

1) 나
2) 나
3) 가

1) ③
2) 한국 식당
3) ① ○   ② ✕

저하고 마리 씨는 한국 음식을 좋아해요. 그래서 우리는 한국 음식을 자주 먹어요. 마리 씨는 잡채를 잘 만들어요. 하지만 저는 잡채를 못 만들어요. 저는 된장찌개를 잘 만들어요. 그래서 우리는 같이 잡채하고 된장찌개를 만들어요. 한국 음식은 정말 맛있어요.

저하고 주노 씨는 한국 음식을 좋아해요. 그래서 우리는 한국 음식을 자주 먹어요. 주노 씨는 떡볶이를 잘 만들어요. 하지만 저는 떡볶이를 못 만들어요. 저는 김밥을 잘 만들어요. 그래서 우리는 같이 김밥하고 떡볶이를 만들어요. 한국 음식은 정말 맛있어요.

02 🖉   도서관에 책을 빌리러 가요

2) 영화를 봐요.
3) 자전거를 타요.
4) 게임을 해요.
5) 음악을 들어요.
6) 그림을 그려요.

1) 수영을
2) 낚시를
3) 드라마를
4) 게임을

동사	-으러 가다	동사	-러 가다
먹다	먹으러 가요	보다	보러 가요
씻다	씻으러 가요	사다	사러 가요
찍다	찍으러 가요	만나다	만나러 가요
찾다	찾으러 가요	운동하다	운동하러 가요
★듣다	들으러 가요	★놀다	놀러 가요

1) 먹으러
2) 사러
3) 하러
4) 찾으러

옷을 사다 •   • 사무실에 가다
1) 노래를 부르다 •   • 카페에 가다
2) 커피를 마시다 •   • 놀이공원에 가다
3) 친구하고 놀다 •   • 노래방에 가다
4) 선생님을 만나다 •   • 백화점에 가다

1) 노래를 부르러 노래방에 가요
2) 커피를 마시러 카페에 가요
3) 친구하고 놀러 놀이공원에 가요
4) 선생님을 만나러 사무실에 가요

1) 컴퓨터도/의자도
2) 마리 씨도
3) 안나 씨도
4) 케이크도

1) 라면을 먹었어요. 김밥도 먹었어요.
2) 안나 씨를 만나요. 주노 씨도 만나요.
3) 지갑이 있어요. 한국어 책도 있어요.
4) 수요일에 해요. 금요일도 해요.

1) ②
2) ③
3) ①

듣고 말하기　2번　15쪽

1)

① 안나 •

② 재민 •

2) 바다

듣고 말하기　3번　15쪽

안나: 재민 씨는 취미가 뭐예요?

재민: 저는 낚시를 좋아해요.

　　그래서 주말에 낚시를 하러 바다에 자주 가요.

　　안나 씨는 뭘 좋아해요?

안나: 저는 운동을 좋아해요.

　　특히 테니스를 좋아해요.

듣고 말하기　5번　15쪽

1) 가

2) 나

3) 가

읽기　1번　16쪽

1) ②

2) 한국 노래

3) ① ✕　　　　② ○

쓰기　1번　17쪽

　저는 운동을 좋아해요. 아침에는 보통 수영을 하러 수영장에 가요. 그리고 오후에는 자전거를 타러 공원에 가요. 친구하고 같이 자전거를 타요. 운동은 정말 재미있어요.

쓰기　2번　17쪽

　저는 운동을 좋아해요. 아침에는 보통 운동을 하러 헬스클럽에 가요. 그리고 저녁에는 축구를 하러 운동장에 가요. 친구들하고 같이 축구를 해요. 운동은 정말 재미있어요.

03 ✏️　백화점에서 쇼핑할 거예요

어휘와 표현　1번　18쪽

2) 청바지

3) 치마

4) 정장

5) 운동화

6) 구두

어휘와 표현　2번　18쪽

1) 입어요

2) 써요

3) 신어요

4) 매요

문법 1　1번　19쪽

동사/형용사	-아서	동사/형용사	-어서	동사/형용사	해서
가다	가서	먹다	먹어서	공부하다	공부해서
오다	와서	신다	신어서	운동하다	운동해서
작다	작아서	★쉽다	쉬워서	따뜻하다	따뜻해서
좋다	좋아서	★예쁘다	예뻐서	시원하다	시원해서

문법 1　2번　19쪽

날씨가 좋다 •　　　　• 기분이 좋다

1) 쇼핑을 좋아하다 •　　　　• 잠을 못 자다

2) 생일 선물을 받다 •　　　　• 산책하러 가다

3) 커피를 많이 마시다 •　　　　• 한국어를 배우다

4) 한국 드라마를 보고 싶다 •　　　　• 백화점에 자주 가다

1) 쇼핑을 좋아해서 백화점에 자주 가요

2) 생일 선물을 받아서 기분이 좋아요

3) 커피를 많이 마셔서 잠을 못 자요

4) 한국 드라마를 보고 싶어서 한국어를 배워요

문법 1　3번　19쪽

1) 바빠서

2) 바람이 많이 불어서

3) 영화를 좋아해서

4) 좀 비싸서

문법 2　1번　20쪽

동사	-을 거예요	동사	-ㄹ 거예요
먹다	먹을 거예요	가다	갈 거예요
신다	신을 거예요	보다	볼 거예요
읽다	읽을 거예요	공부하다	공부할 거예요
★듣다	들을 거예요	★만들다	만들 거예요

1) 공부할 거예요
2) 축구할 거예요
3) 쇼핑할 거예요
4) 놀이공원에 갈 거예요

1) 불고기를 먹을 거예요
2) 녹차를 마실 거예요
3) 자전거를 탈 거예요
4) 바다에 갈 거예요

1) ②
2) ③
3) ①

1) 백화점
2) ①

주노: 마리 씨, 주말에 뭐 할 거예요?
마리: 이번 주말에는 약속이 없어요. 주노 씨, 왜요?
주노: 그럼 같이 백화점에 갈까요?
　　　친구 생일 선물을 사고 싶어요.
마리: 좋아요. 그런데 뭘 살 거예요?
주노: 친구가 운동을 좋아해서 운동화를 살 거예요.

1) 나
2) 가
3) 가

1) 주말
2) ①
3) ① ✕　　　　② ✕

　　이번 주 토요일은 제 동생 생일이에요. 그래서 저는 백화점에 생일 선물을 사러 갈 거예요. 동생이 바지를 자주 입어서 청바지를 살 거예요. 그리고 토요일 저녁에는 생일 파티를 할 거예요. 동생이 한국 음식을 좋아해서 불고기하고 김밥을 만들 거예요.

　　이번 주 일요일은 제 친구 결혼식이에요. 그래서 저는 백화점에 결혼 선물을 사러 갈 거예요. 친구가 커피하고 차를 자주 마셔서 커피 잔을 살 거예요. 결혼식에서 저는 친구들하고 노래를 할 거예요. 그래서 요즘 친구들하고 노래를 연습해요.

04 🖉 더 큰 사이즈는 없어요?

2) 좁아요
3) 낮아요
4) 짧아요
5) 싸요
6) 불편해요

1) 높아서
2) 넓어서
3) 길어서
4) 불편해서

형용사	-은	형용사	-ㄴ
낮다	낮은	싸다	싼
넓다	넓은	크다	큰
작다	작은	비싸다	비싼
★맵다	매운	편하다	편한
★맛있다	맛있는	★길다	긴

1) 마리 씨가 예쁜 티셔츠를 입었어요
2) 안나 씨가 따뜻한 커피를 마셔요
3) 재민 씨가 불편한 의자에 앉았어요
4) 주노 씨가 맛있는 사과를 먹어요

1) 재민 씨 • 　• 높다　　　• 　• 도시예요
2) 서울 • 　• 재미있다　　　• 　• 한국 음식이에요
3) 한라산 • 　• 한국에서 가장 크다　　　• 　• 영화를 보고 싶어 해요
4) 불고기 • 　• 시원하다　　　• 　• 날씨를 좋아해요
5) 안나 씨 • 　• 맛있다　　　• 　• 산이에요

2) 서울은 한국에서 가장 큰 도시예요

3) 한라산은 높은 산이에요

4) 불고기는 맛있는 한국 음식이에요

5) 안나 씨는 재미있는 영화를 보고 싶어 해요

문법 2 | 1번 | 26쪽

동사/형용사	-습니다	동사/형용사	-ㅂ니다
듣다	듣습니다	가다	갑니다
먹다	먹습니다	만나다	만납니다
읽다	읽습니다	공부하다	공부합니다
낮다	낮습니다	크다	큽니다
짧다	짧습니다	★길다	깁니다

문법 2 | 2번 | 26쪽

1) 텔레비전을 봅니다

2) 야구를 좋아합니다

3) 20,000원입니다

4) 비빔밥을 먹었습니다

문법 2 | 3번 | 26쪽

2) 갑니다

3) 먹습니다

4) 맵습니다

5) 좋아합니다

듣고 말하기 | 1번 | 27쪽

듣고 말하기 | 2번 | 27쪽

1) ①

2) 치마

듣고 말하기 | 3번 | 27쪽

점원: 손님, 뭘 찾으세요?

안나: 치마 좀 보여 주세요.

점원: 이 치마는 어떠세요? 요즘 손님들이 많이 삽니다.

안나: 음. 조금 짧아요. 더 긴 치마는 없어요?

점원: 그럼 이건 어떠세요?

안나: 좋아요. 이거 주세요.

듣고 말하기 | 5번 | 27쪽

1) 가

2) 나

3) 나

읽기 | 1번 | 28쪽

1) 과일

2) ①, ③

3) ① ○   ② ✕

쓰기 | 1번 | 29쪽

저는 오늘 핸드폰을 사러 핸드폰 가게에 갔습니다. 핸드폰 가게에는 핸드폰이 많이 있었습니다. 저는 가장 예쁜 핸드폰을 샀습니다. 핸드폰은 좀 비쌌습니다. 하지만 핸드폰을 사서 기분이 좋았습니다.

쓰기 | 2번 | 29쪽

저는 오늘 운동화를 사러 신발 가게에 갔습니다. 신발 가게에는 신발이 많이 있었습니다. 저는 가장 편한 운동화를 샀습니다. 운동화는 아주 예뻤습니다. 운동화를 사서 기분이 좋았습니다.

05 ✏️ 세종식당이 어디에 있어요?

어휘와 표현 | 1번 | 30쪽

2) 내려가요

3) 나가요

4) 들어가요

5) 똑바로 가요

6) 건너가요

어휘와 표현 | 2번 | 30쪽

1) 내려가세요

2) 똑바로 가세요

3) 건너가세요

4) 들어가세요

문법 1 | 1번 | 31쪽

1) 뭐

2) 무슨

3) 누구

4) 얼마나

문법 1 | 2번 | 31쪽

1) 어디
2) 무엇
3) 누구
4) 어떻게
5) 언제
6) 몇

문법 2 | 1번 | 32쪽

명사	으로	명사	로
안	안으로	뒤	뒤로
앞	앞으로	위	위로
1층	1층으로	지하	지하로
이쪽	이쪽으로	카페	카페로
오른쪽	오른쪽으로	★사무실	사무실로

문법 2 | 2번 | 32쪽

1) 왼쪽으로
2) 밖으로
3) 지하 1층으로
4) 사무실로

문법 2 | 3번 | 32쪽

1) 뒤로 돌아가세요
2) 밖으로 나가세요
3) 3층으로 올라가세요
4) 지하 1층으로 내려가세요

듣고 말하기 | 1번 | 33쪽

1) ①
2) ②
3) ③

듣고 말하기 | 2번 | 33쪽

1) 세종박물관
2) ①

듣고 말하기 | 3번 | 33쪽

주노: 안나 씨, 우리 내일 세종박물관에 갈까요?
안나: 좋아요. 그런데 세종박물관이 어디에 있어요?
주노: 누리백화점 알아요?
안나: 네.
주노: 누리백화점에서 오른쪽으로 가요. 그러면 공원이 있어요. 그 공원 앞에 세종박물관이 있어요.

듣고 말하기 | 5번 | 33쪽

1) 가
2) 나
3) 가

읽기 | 1번 | 34쪽

1) 한국 음식
2) ①
3) ① ○   ② ×

쓰기 | 1번 | 35쪽

주노 씨

주노 씨, 안녕하세요? 저는 5월 1일에 결혼을 해요. 세종 호텔에서 결혼식을 해요. 세종호텔은 세종학당 근처에 있어요. 세종학당에서 똑바로 가세요. 그리고 오른쪽으로 가세요. 거기에 경찰서가 있어요. 경찰서 옆에 세종 호텔이 있어요. 제 결혼식에 꼭 오세요.

– 진우.

쓰기 | 2번 | 35쪽

안나 씨

안나 씨, 안녕하세요? 저는 2월 14일에 결혼을 해요. 한국 호텔에서 결혼식을 해요. 한국 호텔은 세종 쇼핑몰 근처에 있어요. 세종 쇼핑몰에서 똑바로 가세요. 그리고 왼쪽으로 가세요. 거기에 공원이 있어요. 공원 옆에 한국 호텔이 있어요. 제 결혼식에 꼭 오세요.

– 웨이.

06 ✎ 한국미술관까지 어떻게 가요?

어휘와 표현 | 1번 | 36쪽

2) 배
3) 버스
4) 기차
5) 지하철
6) 비행기

어휘와 표현 | 2번 | 36쪽

1) 걸어서 가요
2) 차를 타고 가요/운전해요
3) 지하철을 타고 가요
4) 자전거를 타고 가요

문법 1 | 1번 | 37쪽

1) 집에서 공원까지
2) 서울에서 제주도까지
3) 학교에서 카페까지
4) 베트남에서 한국까지

문법 1 | 2번 | 37쪽

1) 비행기를 타고 가요
2) 기차를 타고 가요
3) 9시간 걸려요
4) 1시간 30분 걸려요

문법 2 | 1번 | 38쪽

1) 세종학당 앞 카페에서 만나요
2) 영화관에 가요
3) 버스를 타고 가요
4) 산책해요

문법 2 | 2번 | 38쪽

1) 오후 6시에 해요
2) 행복식당에서 해요
3) 불고기하고 비빔밥을 먹어요
4) 운동화를 사요

듣고 말하기 | 1번 | 39쪽

1) ③
2) ②
3) ①

듣고 말하기 | 2번 | 39쪽

1) 수지 씨
2) ①

듣고 말하기 | 3번 | 39쪽

유진: 수지 씨, 주말에 시간 있어요?
수지: 네. 시간 있어요. 유진 씨, 왜요?
유진: 그럼 주말에 놀이공원에 갈까요?
수지: 네. 좋아요. 같이 가요. 그런데 놀이공원에 어떻게 가요?
유진: 세종학당 앞에서 버스를 타고 가요. 삼십 분쯤 걸려요.

듣고 말하기 | 5번 | 39쪽

1) 가
2) 나
3) 나

읽기 | 1번 | 40쪽

1) 수영
2) ①
3) ① ○   ② ×

쓰기 | 1번 | 41쪽

저는 토요일에 도서관에 가요. 도서관에서 책을 읽어요. 그리고 숙제를 해요. 도서관은 집에서 조금 멀어요. 집 근처 지하철역에서 지하철을 타요. 시청역에서 내려요. 그리고 도서관까지 걸어서 가요. 집에서 도서관까지 30분쯤 걸어요.

쓰기 | 2번 | 41쪽

저는 토요일에 한강공원에 가요. 한강공원에서 산책해요. 그리고 친구들하고 같이 농구해요. 한강공원은 집에서 조금 멀어요. 집 근처 버스 정류장에서 버스를 타요. 한강공원 앞 버스 정류장에서 내려요. 그리고 한강공원까지 걸어서 가요. 집에서 한강공원까지 30분쯤 걸어요.

07 ✏️ 제주도에 가려고 해요

어휘와 표현 | 1번 | 42쪽

2) 수영복
3) 화장품
4) 여권
5) 약
6) 우산

어휘와 표현 | 2번 | 42쪽

1) 낚시를 할 거예요
2) 배를 탈 거예요
3) 선물을 살 거예요
4) 맛집에 갈 거예요

문법 1 | 1번 | 43쪽

동사	-으려고 하다	명사	-려고 하다
먹다	먹으려고 해요	가다	가려고 해요
신다	신으려고 해요	배우다	배우려고 해요
입다	입으려고 해요	여행하다	여행하려고 해요
★듣다	들으려고 해요	★놀다	놀려고 해요

문법 1 | 2번 | 43쪽

1) 입으려고 해요
2) 타려고 해요

3) 여행하려고 해요

4) 들으려고 해요

문법 1 | 3번 | 43쪽

1) 놀이공원에 가려고 해요

2) 화장품을 사려고 해요

3) 영화를 보려고 해요

4) 집에서 쉬려고 해요

문법 2 | 1번 | 44쪽

1) 비가 오고 더워요

2) 수영을 하고 산책도 해요

3) 한국어를 배우고 아르바이트도 해요

4) 텔레비전을 보고 음악도 들어요

5) 그 식당이 가깝고 음식도 맛있어요

6) 토요일에는 아르바이트를 하고 일요일에는 집에서 쉬어요

문법 2 | 2번 | 44쪽

1) 마트에 가고 청소도 할 거예요

2) 선글라스를 사고 수영복도 살 거예요

3) 식당에 가고 노래방에도 갈 거예요

4) 책을 읽고 운동도 할 거예요

듣고 말하기 | 1번 | 45쪽

1) ③

2) ①

3) ②

듣고 말하기 | 2번 | 45쪽

1) 바다

2) ②

듣고 말하기 | 3번 | 45쪽

마리: 재민 씨, 이번 휴가에 뭐 할 거예요?

재민: 한국에 갈 거예요. 가족도 만나고 친구도 만나려고 해요.
　　　마리 씨는요?

마리: 친구하고 여행 갈 거예요. 우리는 바다를 좋아해요.
　　　그래서 바다에 갈 거예요. 바다에서 수영도 하고 유명한 맛집에도
　　　가려고 해요.

듣고 말하기 | 5번 | 45쪽

1) 가

2) 나

3) 나

읽기 | 1번 | 46쪽

1) 한국 여행

2) ①

3) ① ✕　　　　② ✕

쓰기 | 1번 | 47쪽

　　저는 다음 주부터 휴가예요. 이번 휴가에 여행을 갈 거예요. 제주도에 가려고 해요. 제주도 바다는 아주 유명해요. 그리고 제주도에는 유명한 산이 있어요. 저는 바다에서 수영도 하고 등산도 할 거예요. 수영복과 등산화가 없어서 오늘은 백화점에서 쇼핑을 할 거예요. 빨리 제주도에 가고 싶어요.

쓰기 | 2번 | 47쪽

　　저는 다음 주부터 방학이에요. 저는 이번 방학에 여행을 갈 거예요. 설악산에 가려고 해요. 설악산은 아주 유명해요. 그리고 설악산 옆에는 아름다운 바다가 있어요. 저는 등산도 하고 수영도 할 거예요. 선글라스와 등산화가 없어서 오늘은 쇼핑몰에서 쇼핑을 할 거예요. 빨리 설악산에 가고 싶어요.

08 지난번 여행보다 좋았어요

어휘와 표현 | 1번 | 48쪽

2) 축제에 갔어요.

3) 새로운 음식을 먹었어요.

4) 박물관에 갔어요.

5) 선물을 샀어요.

6) 거리 구경을 했어요.

어휘와 표현 | 2번 | 48쪽

1) 삼계탕을

2) 거리 구경을

3) 케이팝(K-POP) 콘서트에

4) 한복을

문법 1 | 1번 | 49쪽

동사	-은 후에	동사	-ㄴ 후에
먹다	먹은 후에	보다	본 후에
씻다	씻은 후에	사다	산 후에
읽다	읽은 후에	마시다	마신 후에
★듣다	들은 후에	★만들다	만든 후에

문법 1 | 2번 | 49쪽

2) 바지를 입은 후에 양말을 신어요

3) 친구를 만난 후에 집에 가요

4) 음식을 만든 후에 설거지를 해요

문법 1 | 3번 | 49쪽

1) 운동을 한 후에 샤워를 해요

2) 책을 읽은 후에 음악을 들어요

3) 공연을 본 후에 사진을 찍어요

4) 거리 구경을 한 후에 맛집에 가요

문법 2 | 1번 | 50쪽

1) 지하철이 버스보다 편해요

2) 오늘이 어제보다 따뜻해요

3) 삼계탕이 비빔밥보다 맛있어요

4) 드라마가 영화보다 재미있어요

5) 여름이 겨울보다 좋아요

6) 떡볶이가 순두부찌개보다 매워요

문법 2 | 2번 | 50쪽

1) 큰 가방보다 작은 가방이 더 좋아요

2) 구두보다 운동화가 더 편해요

3) 백화점보다 시장이 더 가까워요

4) 남자보다 여자가 더 많아요

듣고 말하기 | 1번 | 51쪽

1) ②

2) ③

3) ①

듣고 말하기 | 2번 | 51쪽

1) 서울

2) ①, ②

듣고 말하기 | 3번 | 51쪽

재민: 마리 씨, 서울 여행 잘 다녀왔어요?

마리: 네. 지난번 여행보다 더 좋았어요.

재민: 아, 그래요? 서울에서 뭐 했어요?

마리: 맛집에도 많이 가고 한복도 입었어요.

재민: 날씨는 괜찮았어요?

마리: 네. 날씨도 아주 좋았어요.

듣고 말하기 | 5번 | 51쪽

1) 나

2) 가

3) 가

읽기 | 1번 | 52쪽

1) ②

2) 추웠습니다

3) ① ○   ② ×

쓰기 | 1번 | 53쪽

　저는 작년 여름에 동생하고 같이 부산에 갔습니다. 우리는 바다에서 수영을 하고 바닷가에서 산책을 했습니다. 저녁에는 유명한 시장에 갔습니다. 그 시장에는 생선이 많았습니다. 우리는 시장에 있는 식당에서 생선 요리를 먹었습니다. 맛있었습니다. 저녁을 먹은 후에 호텔에서 바다를 봤습니다. 부산 바다는 낮보다 밤에 더 아름다웠습니다. 저는 부산을 정말 좋아합니다.

쓰기 | 2번 | 53쪽

　저는 작년 가을에 세종학당 친구하고 서울에 갔습니다. 우리는 경복궁에서 한복을 입고 사진을 찍었습니다. 저녁에는 인사동에 갔습니다. 인사동에는 선물 가게가 많았습니다. 우리는 인사동에 있는 선물 가게에서 선물을 샀습니다. 인사동 쇼핑이 아주 재미있었습니다. 저녁을 먹은 후에 호텔에서 한강을 봤습니다. 한강은 멋있었습니다. 저는 서울을 정말 좋아합니다.

09 ✎ 집에서 푹 쉬어야 돼요

어휘와 표현 | 1번 | 54쪽

2) 발이 아파요.

3) 이가 아파요.

4) 눈이 아파요.

5) 머리가 아파요.

6) 팔이 아파요.

어휘와 표현 | 2번 | 54쪽

1) 목이 아파요

2) 기침을 해요

3) 열이 나요

4) 콧물이 나요

1) 신발이 예쁘지만
2) 운동이 힘들지만
3) 나는 고기를 안 먹지만
4) 식당이 작지만
5) 어제는 비가 왔지만
6) 아까는 길이 안 복잡했지만

1) 토요일에는 가지만 일요일에는 안 가요
2) 고기는 먹지만 생선은 안 먹어요
3) 마리 씨는 가지만 재민 씨는 안 가요
4) 어제는 왔지만 오늘은 안 와요

동사/형용사	-아야 되다	동사/형용사	-어야 되다	동사/형용사	해야 되다
가다	가야 돼요	먹다	먹어야 돼요	일하다	일해야 돼요
오다	와야 돼요	쉬다	쉬어야 돼요	공부하다	공부해야 돼요
타다	타야 돼요	있다	있어야 돼요	준비하다	준비해야 돼요
좋다	좋아야 돼요	★크다	커야 돼요	편하다	편해야 돼요

1) 푹 쉬어야 돼요
2) 우산을 준비해야 돼요
3) 오늘 공부해야 돼요
4) 선물을 사야 돼요

1) 식사한 후에 먹어야 돼요
2) 이번 정류장에서 내려야 돼요
3) 병원에 가야 돼요
4) 과일을 더 사야 돼요

1) ①
2) ③
3) ②

1) 등산
2) ②, ③

재민: 마리 씨, 다리가 아파요?
마리: 네. 토요일에 등산을 한 후에 다리가 아프고 허리도 많이 아파요.
그래서 잘 못 걷고 의자에도 못 앉아요.
재민: 병원에 갔어요?
마리: 네. 어제 갔지만 오늘도 가야 돼요.

1) 가
2) 가
3) 나

1) ②
2) 머리, 목
3) ① ○   ② ○

어제부터 동생이 많이 아팠어요. 그래서 저는 오늘 동생하고 같이 병원에 갔어요. 동생은 어제 수영장에 다녀온 후에 기침을 하고 열이 많이 났어요. 밤에 약을 먹었지만 계속 기침을 하고 열이 났어요. 그래서 오늘 아침에 병원에 갔어요. 약도 다시 샀어요. 지금은 열이 없어서 잘 자요. 그렇지만 동생은 계속 약을 잘 먹고 푹 쉬어야 돼요.

어제부터 제가 많이 아팠어요. 그래서 오늘 저는 언니하고 병원에 갔어요. 저는 주말에 자전거를 탄 후에 목이 아프고 콧물이 났어요. 어제 약을 먹었지만 목이 많이 아프고 콧물도 많이 났어요. 그래서 오늘 아침에 병원에 갔어요. 약도 다시 샀어요. 지금은 콧물이 많이 안 나서 좋아요. 계속 약을 잘 먹고 쉬어야 돼요.

10 ✎ 학교에 가기 전에 수영을 해요

2) 매일 운동해요.
3) 물을 자주 마셔요.
4) 채소와 과일을 많이 먹어요.
5) 자주 웃어요.
6) 식사 시간을 잘 지켜요.

1) 일찍 일어나요
2) 채소와 과일을 많이 먹어요

3) 식사 시간을 잘 지켜요
4) 잠을 잘 자요

문법 1 | 1번 | 61쪽

1) 요리하기 전에
2) 청소하기 전에
3) 수영을 하기 전에
4) 고향에 돌아가기 전에

문법 1 | 2번 | 61쪽

1) 운동을 하기 전에 아침을 먹어요
2) 잠을 자기 전에 음악을 들어요
3) 저녁을 먹기 전에 영화를 봐요
4) 학교에 가기 전에 숙제를 해요
5) 집에서 나가기 전에 창문을 닫아요
6) 회사에 가기 전에 요가를 해요

문법 2 | 1번 | 62쪽

동사	-아서	동사	-어서	동사	-해서
가다	가서	씻다	씻어서	수영하다	수영해서
사다	사서	찍다	찍어서	요리하다	요리해서
오다	와서	만들다	만들어서	전화하다	전화해서
만나다	만나서	★쓰다	써서	초대하다	초대해서
일어나다	일어나서	★걷다	걸어서	이야기하다	이야기해서

문법 2 | 2번 | 62쪽

1) 친구를 만나서 쇼핑을 해요
2) 바다에 가서 수영을 했어요
3) 떡볶이를 만들어서 동생하고 같이 먹었어요
4) 친구들을 집에 초대해서 파티를 할 거예요

문법 2 | 3번 | 62쪽

1) 가서
2) 타고
3) 씻어서
4) 일어나서
5) 사서
6) 입고

듣고 말하기 | 1번 | 63쪽

1) ②
2) ①
3) ③

듣고 말하기 | 2번 | 63쪽

1) ③
2) 학교 식당

듣고 말하기 | 3번 | 63쪽

주노: 수지 씨, 아침 일찍 어디에 가요?
수지: 헬스클럽에 가요. 저는 학교에 가기 전에 운동을 해요.
주노: 보통 몇 시에 운동을 하러 가요?
수지: 여덟 시에 가요.
주노: 그래요? 그럼 아침은 안 먹어요?
수지: 운동을 하고 학교 식당에 가서 아침을 먹어요.

듣고 말하기 | 5번 | 63쪽

1) 가
2) 가
3) 나

읽기 | 1번 | 64쪽

1) 걸어서
2) ③
3) ① ✕   ② ○

쓰기 | 1번 | 65쪽

저는 아침에 일찍 일어나요. 회사에 가기 전에 운동을 해요. 운동을 하고 아침을 꼭 먹어요. 점심은 보통 회사 근처 식당에 가서 먹어요. 회사에서 일이 끝나고 집에 와요. 집에서 저녁을 먹고 공원에 가서 산책을 해요. 그리고 자기 전에 음악을 들어요. 11시쯤 잠을 자요.

쓰기 | 2번 | 65쪽

저는 아침에 일찍 일어나요. 학교에 가기 전에 수영을 해요. 수영을 하고 아침을 먹어요. 점심은 학교 근처 식당에 가서 먹어요. 수업이 끝나고 집에 와요. 집에서 룸메이트하고 저녁을 먹고 공원에 가서 자전거를 타요. 그리고 자기 전에 책을 읽어요. 10시쯤 잠을 자요.

11 ✎ 한국 음식을 만들 수 있어요?

어휘와 표현 | 1번 | 66쪽

2) 선물을 사요.
3) 사람들을 초대해요.
4) 장소를 예약해요.
5) 연락을 해요.
6) 음식을 준비해요.

1) 정했어요
2) 준비할 거예요
3) 예약했어요
4) 초대했어요

동사	-을 수 있다	동사	-ㄹ 수 있다
먹다	먹을 수 있어요	가다	갈 수 있어요
받다	받을 수 있어요	치다	칠 수 있어요
읽다	읽을 수 있어요	타다	탈 수 있어요
찍다	찍을 수 있어요	운전하다	운전할 수 있어요
★듣다	들을 수 있어요	★만들다	만들 수 있어요

1) 탈 수 있어요
2) 읽을 수 있어요
3) 만들 수 있어요
4) 칠 수 있어요

1) 이야기할 수 없어요
2) 갈 수 없어요
3) 축구할 수 없어요
4) 잠을 잘 수 없었어요.

1) 듣고 있어요
2) 먹고 있어요
3) 타고 있어요
4) 보고 있어요
5) 만나고 있어요
6) 사고 있어요

1) 안나 씨하고 주노 씨가 음식을 만들고 있어요
2) 마리 씨가 메시지를 보내고 있어요
3) 콜라를 마시고 있어요
4) 유진 씨하고 이야기를 하고 있어요

1) ①
2) ③
3) ②

1) ②
2) 식당, 예약

마리: 유진 씨, 금요일 저녁에 반 모임을 하려고 해요. 반 모임에 올 수
　　　있어요?
유진: 금요일이요? 요즘 금요일에 기타를 배우고 있어서 시간이 안 돼요.
마리: 그래요? 토요일 저녁에는 시간이 돼요?
유진: 네. 토요일에는 시간이 돼요.
마리: 그럼 토요일 6시에 모여요. 유진 씨, 반 모임을 어디에서 할까요?
유진: 마리 씨, 행복식당은 어때요?
마리: 네. 좋아요. 유진 씨가 식당을 예약할 수 있어요?
유진: 네. 할 수 있어요.
마리: 고마워요. 우리 토요일에 봐요.

1) ②
2) ①
3) ②

1) 한국 드라마
2) ①, ③
3) ✕　　　　② ○

　다음 주에 한국어 수업이 끝나요. 우리 반 친구들은 다음 주에 모두 모일 수 있어요. 그래서 저와 친구들은 함께 반 모임을 준비하고 있어요. 반 모임은 식당에서 할 거예요. 저는 한국식당을 예약하고 마리 씨는 케이크를 준비할 거예요. 반 모임에서 맛있는 음식을 먹고 친구들과 이야기를 많이 하고 싶어요.

　이번 주 금요일이 유진 씨의 생일이에요. 친구들은 금요일 저녁에 모두 모일 수 있어요. 그래서 저와 친구들은 함께 유진 씨의 생일 파티를 준비하고 있어요. 생일 파티는 식당에서 할 거예요. 안나 씨는 세종식당을 예약하고 저와 수지 씨는 선물을 살 거예요. 파티에서 유진 씨의 생일을 축하하고 친구들과 이야기를 많이 하고 싶어요.

12 ✏️ 저는 지니 씨에게 펜을 선물할 거예요

어휘와 표현 | 1번 | 72쪽

2) 졸업식

3) 결혼식

4) 생일

5) 어버이날

6) 어린이날

어휘와 표현 | 2번 | 72쪽

1) 지갑을

2) 꽃을

3) 신발을

4) 케이크를

문법 1 | 1번 | 73쪽

1) 친구에게 편지를 썼어요

2) 고양이에게 물을 주었어요

3) 형에게 선물을 보냈어요

4) 누나에게 화장품을 선물했어요

5) 친구에게 여행 계획을 말했어요

6) 안나 씨에게 전화번호를 물었어요

문법 1 | 2번 | 73쪽

1) 유진 씨한테 커피를

2) 친구한테 꽃을

3) 재민 씨한테 이메일을

4) 수지 씨한테 전화를

문법 2 | 1번 | 74쪽

동사/형용사	-으니까	동사/형용사	-니까
먹다	먹으니까	가다	가니까
많다	많으니까	하다	하니까
있다	있으니까	바쁘다	바쁘니까
좋다	좋으니까	비싸다	비싸니까
★덥다	더우니까	★멀다	머니까

문법 2 | 2번 | 74쪽

1) 더우니까

2) 방학이니까

3) 머니까

4) 좋아하니까

문법 2 | 3번 | 74쪽

지금은 바쁘다		걸어서 가다
1) 도서관이 조용하다		같이 선물을 사다
2) 우체국이 가깝다		거기에서 공부하다
3) 내일 재민 씨 생일이다		점심을 일찍 먹다
4) 아침을 못 먹었다		이따가 이야기하다

1) 도서관이 조용하니까 거기에서 공부해요

2) 우체국이 가까우니까 걸어서 가요

3) 내일 재민 씨 생일이니까 같이 선물을 사요

4) 아침을 못 먹었으니까 점심을 일찍 먹어요

듣고 말하기 | 1번 | 75쪽

1) ③

2) ②

3) ①

듣고 말하기 | 2번 | 75쪽

1) ②

2) 요리, 자주

듣고 말하기 | 3번 | 75쪽

안나: 주노 씨, 마리 씨 생일에 무슨 선물을 할 거예요?

주노: 마리 씨한테 지갑을 선물할 거예요. 안나 씨는 선물을 준비했어요?

안나: 아니요. 아직 준비를 못 했어요. 어떤 선물이 좋을까요?

주노: 마리 씨가 요리를 자주 하니까 그릇은 어때요?

안나: 네. 좋은 생각이에요. 고마워요.

듣고 말하기 | 5번 | 75쪽

1) 가

2) 나

3) 가

읽기 | 1번 | 76쪽

1) 누나 생일

2) ①

3) ① ✕   ② ✕

쓰기 | 1번 | 77쪽

저와 친구들은 오늘 안나 씨 생일 파티에 갔어요. 우리는 안나 씨에게 생일 선물을 주었어요. 저는 안나 씨가 꽃을 좋아해서 꽃을 주었어요. 유진 씨는 예쁜 모자를 선물했어요. 수지 씨는 안나 씨에게 운동복을 선물했어요. 마리 씨는 바빠서 파티에 못 왔지만 축하 메시지를 보냈어요.

우리 가족은 오늘 동생 졸업식에 갔어요. 우리는 동생에게 졸업 선물을 주었어요. 아버지는 동생이 운동을 자주 해서 운동화를 선물했어요. 어머니는 예쁜 옷을 선물했어요. 저는 동생이 케이팝(K-POP)을 좋아해서 콘서트 표를 주었어요. 누나는 바빠서 졸업식에 못 왔지만 축하 메시지를 보냈어요.

자료
출처
─── 1B

※ 이 교재는 산돌폰트 외 Ryu 고운한글돋움OTF, Ryu 고운한글바탕OTF 등을 사용하여 제작되었습니다. Ryu 고운한글돋움OTF, Ryu 고운한글바탕OTF 서체는 서체 디자이너 류양희 님에게서 제공 받았습니다.

※ 강승희, 곽명주, 박가을, 이재영, 정원교 작가와 함께 작업했습니다.

| 게티이미지코리아 |

1과 6쪽_1번 6), 2번 4)우; 9쪽_1번 2); 10쪽_1번 상   2과 16쪽_1번 상   3과 18쪽_1번 1); 21쪽_2번 2)③   6과 36쪽_1번 5)   8과 48쪽_2번 (보기)/2)

| 셔터스톡 |

스피커 아이콘
말풍선
연필 아이콘

1과 6쪽_1번 1)/2)/3)/4)/5), 2번 (보기)/1)/2)/3)/4)좌; 7쪽_2번 (보기)/1)/2)/3)/4); 8쪽_2번 4); 9쪽_1번 1)/3), 2번 ①우/②우; 10쪽_1번 1); 11쪽   2과 12쪽_1번 1)/2)/3); 16쪽_1번 1)②/③; 17쪽_1번   3과 18쪽_1번 2)/3)/4)/5)/6), 2번; 20쪽_2번 (좌로부터)①/②/③/④, 3번; 21쪽_1번, 2번 2)①/②; 22쪽   4과 26쪽; 27쪽_1번; 28쪽; 29쪽   5과 30쪽; 32쪽_2번 (보기)/1)/2)/4), 3번; 33쪽_1번; 34쪽_1번 상; 35쪽_1번   6과 36쪽_1번 1)/2)/3)/4)/6); 38쪽; 40쪽_상; 41쪽   7과 42쪽_1번; 43쪽_3번 3)/4); 44쪽_2번 2)   8과 48쪽_1번 2)/3)/4), 2번 1)/3)/4); 49쪽_2번 4); 52쪽_1번 상   9과 54쪽_1번 1)/5), 2번 (보기)/2)/3); 55쪽_2번 1); 57쪽_1번 2); 58쪽_1번 1)/③   10과 60쪽_1번 5); 64쪽_1번 상; 65쪽_1번 (좌로부터)/③, 2번 (좌로부터)/③/④   11과 66쪽_1번 4)/6); 69쪽_1번 2)/3)   12과 72쪽_1번 1)/3)/4); 73쪽_2번 (보기, 좌로부터)②/③, 1)(좌로부터)②, 2)(좌로부터)②/③, 3)(좌로부터)②, 4)(좌로부터)②/③; 75쪽_2번; 76쪽_1번 2)   부록 79쪽; 99쪽

| 기타 |

1과 7쪽_⟨괴물⟩ 포스터 (영화사 청어람 제공)

메모

세종한국어 | 익힘책 1B

기획	국립국어원	박미영 학예연구사
	국립국어원	조 은 학예연구사
집필	책임 집필	이정희 경희대학교 국제교육원 교수
	공동 집필	장미정 고려대학교 교양교육원 조교수
		김은애 서울대학교 언어교육원 대우교수
		천민지 한양대학교 국제교육원 교육전담교수
		김지혜 경희대학교 국제교육원 한국어 강사
	집필 보조	문진숙 경희대학교 국어국문학과 박사수료
		한재민 경희대학교 국어국문학과 박사수료
		정성호 경희대학교 국어국문학과 박사수료
		서유리 경희대학교 국어국문학과 박사과정

발행　국립국어원

주소: (07511) 서울특별시 강서구 금낭화로 154

전화: +82(0)2-2669-9775

전송: +82(0)2-2669-9727

누리집: www.korean.go.kr

초판 1쇄 발행　　2022년　9월 1일

초판 6쇄 발행　　2024년 10월 1일

편집·제작　공앤박 주식회사

주소: (05116) 서울특별시 광진구 광나루로56길 85, 프라임센터 3411호

전화: +82(0)2-565-1531

전송: +82(0)2-6499-1801

누리집: www.kongnpark.com / www.BooksOnKorea.com (구매)

총괄	공경용
편집	이유진, 김세훈, 이진덕, 여인영, 김령희, 성수정, 최은정, 함소연
영문 편집	Sung A. Jung, Paulina Zolta, Kassandra Lefrancois-Brossard
디자인	오진경, 서은아, 이종우, 이승희
삽화	강승희, 곽명주, 박가을, 이재영, 정원교
관리·제작	공일석, 최진호
IT 자료	손대철
마케팅	윤성호

ISBN　978-89-97134-31-1 (14710)

ISBN　978-89-97134-21-2 (세트)